JENNY HAN
E
SIOBHAN VIVIAN

GAROTAS CRESCIDAS NÃO CHORAM...
ELAS ACERTAM AS CONTAS.

OLHO POR OLHO

Tradução
Sylvio Deutsch

Novo Conceito

1ª Impressão — 2013

Produção Editorial:
Equipe Novo Conceito
Capa Original: Lucy Ruth Cummins
Imagem de capa: Anna Wolf
Impressão e Acabamento Geográfica 170713

Este livro segue as regras da Nova Ortografia da Língua Portuguesa.

Dados Internacionais de Catalogação na Publicação (CIP)
(Câmara Brasileira do Livro, SP, Brasil)

Han, Jenny
Olho por olho / Jenny Han, Siobhan Vivian; tradução Sylvio Monteiro Deutsch. -- 1. ed. -- Ribeirão Preto, SP: Novo Conceito Editora, 2013.

Título original: Burn for burn.
ISBN 978-85-8163-278-0

1. Ficção norte-americana I. Vivian, Siobhan.
II. Título
13-06054 CDD-813

Índices para catálogo sistemático:
1. Ficção : Literatura norte-americana 813

Novo Conceito

Rua Dr. Hugo Fortes, 1.885 — Parque Industrial Lagoinha
14095-260 – Ribeirão Preto – SP
www.editoranovoconceito.com.br

Para nossas avós Kyong Hui Han e Barbara Vivian.

MARY

A NEBLINA DA MANHÃ PINTAVA TUDO DE BRANCO. ERA EXATAMENTE como num dos meus sonhos de toca de coelho, no qual fico encurralada, suspensa numa nuvem, e não consigo acordar.

Então a sirene de neblina toca, as nuvens se desfazem em rendas, e eu vejo a Ilha Jar, espalhada ao longo do horizonte tal como uma das pinturas de tia Bette.

É então que sei com certeza que consegui. Que estou de volta.

Um dos trabalhadores amarra a balsa no cais com uma corda grossa. Outro baixa a ponte. A voz do capitão vem pelo alto-falante.

— Bom dia, passageiros. Bem-vindos à Ilha Jar. Por favor, não se esqueçam de recolher todos os seus pertences.

Eu quase me esquecera de como aqui é bonito. O sol se ergue acima da água e ilumina tudo com sua luz amarela brilhante. Uma sugestão do meu reflexo na janela olha para mim: olhos claros, lábios separados, cabelo loiro, ondulado pelo vento. Não sou a mesma pessoa que era quando saí daqui, no sétimo ano. Estou mais velha, obviamente, mas não é só isso. Eu mudei. Quando olho para mim mesma agora, vejo uma pessoa forte. Talvez até bonita.

Será que ele me reconhecerá? Parte de mim espera que não. Mas outra parte, aquela que deixou minha família para retornar, espera que sim. Ele tem de me reconhecer. Senão, qual seria o sentido disso?

Escuto o barulho dos carros parados na balsa preparando-se para sair. Há mais carros em terra, numa longa fila que vai até a entrada do estacionamento, esperando para embarcar na viagem de volta ao continente. Ainda resta uma semana de férias na praia. Afasto-me da janela, aliso o vestido leve de algodão, decorado com muitas linhas finas, e volto para o assento para pegar as minhas coisas. O assento ao lado do meu está vazio. Passo a mão por debaixo dele, tateando atrás do que sei que está ali. As iniciais dele. RT. Lembro-me do dia em que ele as entalhou com seu canivete suíço só porque lhe deu vontade.

Fico imaginando se as coisas mudaram na ilha. Será que a Milky Morning ainda faz os melhores bolinhos de mirtilo? O cinema da Avenida Central ainda tem aqueles assentos de veludo verde cheios de calombos? Que tamanho terá agora o lilaseiro de nosso jardim?

É estranho me sentir como uma turista, porque os Zane moraram na Ilha Jar praticamente desde sempre. Meu tetravô projetou e construiu a biblioteca. Uma das tias de minha mãe foi a primeira mulher a ser eleita vereadora de Middlebury. O jazigo da nossa família fica bem no centro do cemitério, no meio da ilha, e algumas das lápides, cobertas de musgo, são tão antigas que não dá para saber quem está sepultado ali.

A Ilha Jar é composta de quatro pequenas cidades. Thomastown, Middlebury, que é de onde eu venho, White Haven e Canobie Bluffs. Cada uma das cidades tem a sua própria escola primária, e depois todo mundo vai para a escola secundária da Ilha Jar. No verão, a população infla com os vários milhares de turistas. Mas apenas cerca de mil pessoas vivem aqui o resto do ano.

Minha mãe sempre diz que a Ilha Jar nunca muda. Ela é seu próprio pequeno universo. Tem algo aqui que faz as pessoas fingirem que o mundo parou de girar. Acho que isso é parte do charme do lugar e o motivo pelo qual as pessoas querem passar o verão aqui. Ou porque aqueles que resistem às mudanças enfrentam os problemas decorrentes de viver aqui o ano todo, da forma como a minha família costumava fazer.

As pessoas gostam de que não haja nenhuma loja grande, shopping center ou restaurante fast-food na Ilha Jar. Papai diz que há cerca de 200 leis diferentes que tornam ilegal construir essas coisas aqui. As pessoas fazem suas compras nos mercados locais, os remédios, compram nas pequenas farmácias, que também são lanchonetes, as revistas e livros, em livrarias independentes.

Outra coisa que torna a Ilha Jar especial é que é uma ilha *de verdade*. Não há pontes ou túneis conectando-a ao continente. Além do aeroporto de uma pista, que só os ricos usam com seus aviões particulares, todo mundo e tudo o mais têm de ir e vir nesta balsa.

Pego minhas malas e sigo o resto dos passageiros para fora. O cais vai dar direto numa área de recepção. Um velho ônibus escolar dos anos 1940 com a inscrição TOUR DA ILHA JAR está parado na frente, sendo lavado. Um quarteirão adiante fica a Avenida Central, uma sequência de lojas de suvenires e lanchonetes. Acima dela ergue-se a grande colina de Middlebury. Leva um segundo para eu encontrá-la, e tenho de proteger os olhos do sol, mas vislumbro o telhado vermelho inclinado da minha velha casa bem lá no alto.

Minha mãe cresceu naquela casa, junto com tia Bette. Meu quarto era o mesmo que fora de tia Bette, com vista para o mar. Fico imaginando se é onde ela dorme, agora que está morando ali novamente.

Sou sua única sobrinha, e ela não teve filhos. Ela nunca soube lidar com crianças, por isso me tratava como adulta. Eu gostava disso, fazia-me sentir crescida. Quando pedia minha opinião sobre as pinturas que fazia, o que eu achava delas, tia Bette ouvia realmente o que eu dizia. Mas ela nunca foi o tipo de tia que se senta no chão e ajuda a montar um quebra-cabeça, ou com quem eu podia fazer biscoitos. E eu não precisava que ela fosse assim. Eu já tinha meu pai e minha mãe, que faziam essas coisas.

Acho que será ótimo morar com tia Bette, agora que estou mais velha. Meus pais me tratam como criança. O exemplo perfeito: ainda tenho de voltar para casa às dez, apesar de já ter 17 anos. Acho que depois de tudo o que aconteceu, faz sentido que sejam exageradamente protetores.

A caminhada até a casa é mais longa do que eu me lembrava, talvez por causa do peso das malas. Mostro o polegar para os carros que passam de vez quando. Alguns dos locais dão carona na Ilha Jar. É algo aceito aqui, um modo de ajudar os vizinhos. Nunca tive permissão para pegar carona, mas pela primeira vez não tenho minha mãe e meu pai olhando por cima do meu ombro. Ninguém quer me dar carona, o que é uma droga, mas há sempre amanhã ou depois de amanhã. Tenho todo o tempo do mundo para pegar carona ou fazer o que quiser.

Sem perceber, passo direto pela entrada da minha casa e tenho de voltar. Os arbustos cresceram muito e esconderam a casa. Não estou surpresa. Cuidar do jardim era tarefa de minha mãe, não de tia Bette.

Arrasto as malas pelos últimos poucos metros e olho para a casa. É uma construção colonial de três andares, coberta de telhas cinza de cedro, com venezianas brancas em cada janela e um caminho de pedras pelo meio do jardim. O velho Volvo bege de tia Bette está estacionado à entrada, coberto por uma camada de pequenas flores roxas.

O lilaseiro. Ele está mais alto do que eu considerava possível. E, apesar de muitas flores terem caído, os galhos continuam inclinados com o peso de outros milhões delas. Respiro tão profundamente quanto posso.

É bom estar em casa.

LILLIA

Estamos nesta época do ano de novo, final de agosto, só mais uma semana até as aulas começarem. A praia está lotada, mas não tanto quanto no feriado de 4 de Julho. Estou deitada sobre um grande blanket com Rennie e Alex. Reeve e PJ estão jogando frisbee, e Ashlin e Derek foram nadar no mar. Essa é a nossa turma. Tem sido desde o nono ano. É difícil acreditar que finalmente estamos no último ano.

O sol está tão brilhante que posso sentir minha pele ficando ainda mais dourada. Ondulo o corpo para afundar mais na areia. Adoro o sol. Ao meu lado, Alex está passando mais protetor solar nos ombros.

— Droga, Alex! — diz Rennie, erguendo os olhos da revista. — Você precisa trazer seu próprio protetor solar. Você usou metade do meu. Da próxima vez, vou deixá-lo pegar um câncer.

— Você está brincando? — responde Alex. — Você roubou este aqui da piscina da minha casa. Ajude aqui, vamos, Lil.

Eu me sento apoiando-me num dos cotovelos.

— Você esqueceu um lugar aqui no ombro. Aqui, dê meia-volta.

Curvo-me na direção dele e passo um tanto de protetor solar no ombro. Alex se vira e pergunta:

— Lillia, que tipo de perfume você usa?

Eu dou risada.

— Por quê? Você quer emprestado? — Eu adoro provocar Alex Lind. É tão fácil.

Ele também ri.

— Não, só estou curioso.

— É segredo — digo-lhe, dando tapinhas nas costas dele.

É importante para uma garota ter um cheiro só seu. Um cheiro que todo mundo reconhece como sendo dela, assim quando passo no corredor da escola as pessoas param e se viram, como uma resposta pavloviana ou algo assim. Toda vez que sentirem o odor desse perfume vão pensar em mim. Caramelo e jacinto, esse é o cheiro de Lillia.

Deitei novamente no cobertor e me virei de bruços.

— Estou com sede — anuncio. — Você pode passar a minha Coca, Lindy?

Alex se inclina e procura na caixa térmica.

— Tudo que tem aqui é água e cerveja.

Torço o nariz e olho para Reeve. Ele está com o frisbee numa das mãos, e minha Coca na outra.

— Ree-ve! — grito. — Essa Coca é minha!

— Desculpe — responde ele, nem um pouco arrependido. Ele lança o frisbee num arco perfeito, e este vai cair perto de umas garotas bonitas sentadas em cadeiras de praia. Exatamente onde ele queria que caísse, tenho certeza.

Viro-me para Rennie, que está com os olhos apertados.

Alex levanta e bate a areia do short.

— Eu vou pegar outro refrigerante para você.

— Não precisa ir — digo-lhe. Mas claro que não estou falando sério. Estou mesmo com sede.

— Você vai sentir falta de mim quando eu não estiver mais aqui para pegar bebidas para você — diz-me, sorrindo. Alex, Reeve e PJ vão sair numa pescaria amanhã. E vão ficar fora a semana toda. Os garotos estão sempre por aqui; nós os vemos praticamente todo dia. Vai ser estranho terminar o verão sem eles.

Mostro a língua para ele.

— Não vou sentir sua falta nem um pouquinho!

Alex corre até Reeve, e ambos caminham até a banquinha de cachorro-quente, mais adiante na praia.

— Obrigada, Lindy! — grito. Ele é tão bonzinho comigo.

Olho novamente para Rennie, que está sorrindo.

— Esse cara faria qualquer coisa por você, Lil.

— Pare com isso.

— Sim ou não. Você acha Lindy bonito? Seja honesta.

Eu nem tenho de pensar a respeito.

— Sim, ele é obviamente bonito. Só não é o cara certo para mim. — Rennie enfiou na cabeça que Alex e eu devíamos ser um casal, e daí ela e Reeve poderiam ser um casal, e nós sairíamos juntos os quatro em encontros e viagens de fim de semana. Como se meus pais fossem um dia me deixar viajar com rapazes! Rennie pode ir adiante e ficar com Reeve se ela quiser, mas Alex e eu não vamos acontecer. Eu não o vejo dessa forma, e ele não me vê dessa forma. Somos amigos. E só. Rennie me lança um olhar daqueles, mas felizmente não insiste no assunto. Erguendo a revista, ela pergunta:

— O que você acha se eu fizer meu cabelo assim para o homecoming[1]? — É uma foto de uma garota num vestido prateado brilhante, o cabelo loiro flutuando atrás dela como uma capa.

— Ren, o homecoming é só em outubro! — respondo, rindo.

— Exatamente! Só falta um mês e meio — ela agita a revista para mim. — Então, o que você acha?

Acho que ela está certa. Provavelmente devemos começar a pensar no vestido. Eu não vou de jeito nenhum comprar o meu numa das butiques da ilha, não quando há 90% de chance de alguma outra garota aparecer vestida igual. Dou uma olhada mais atenta na foto.

— É bonito! Mas duvido que vá ter uma máquina de vento lá.

Rennie estala os dedos.

— Sim! Uma máquina de vento! Grande ideia, Lil.

Dou risada. Se é o que ela quer, é o que ela terá. Ninguém jamais diz não a Rennie Holtz.

Estamos debatendo os possíveis visuais para o homecoming quando dois caras param em nosso cobertor. Um deles é alto e usa corte militar, e o outro é mais baixo e encorpado, com bíceps largos. Os dois são bonitos, mas o mais baixo é mais bonito. Eles são definitivamente mais velhos do que nós, com certeza não estão no ensino médio.

Subitamente fico feliz por estar usando meu novo biquíni preto em vez do cor-de-rosa com bolinhas brancas.

— Vocês têm um abridor de garrafa? — pergunta o mais alto.

Faço que não com a cabeça.

— Você talvez possa pegar um emprestado ali na barraquinha.

[1] Homecoming (volta para casa) é o nome que se dá nos EUA à festa realizada na escola no início do ano letivo. (N.T.)

— Qual a idade de vocês? — pergunta o mais forte.

Posso ver que Rennie gostou dele, pela forma como joga o cabelo para o lado antes de dizer:

— Por que você quer saber?

— Quero ter certeza de que não há problema em falar com vocês — diz ele, sorrindo. Ele está olhando para ela agora. — Legalmente falando.

Ela dá uma risadinha, mas de uma forma que a faz parecer mais velha, e não uma garotinha.

— Somos legais. Por pouco. Qual a idade de vocês?

— Vinte e um — diz o mais alto, olhando para mim. — Estamos no último ano da UMass[2], passando a semana aqui.

Ajusto a parte de cima do biquíni para não mostrar demais. Rennie acaba de fazer 18, mas eu ainda tenho 17.

— Alugamos uma casa na Shore Road, em Canobie Bluffs. Vocês deviam passar lá uma hora dessas. — O mais forte senta-se ao lado de Rennie. — Diga seu número.

— Peça com gentileza — responde Rennie, toda melosa. — E talvez eu possa pensar a respeito.

O mais alto senta-se ao meu lado, na beirada do cobertor.

— Eu sou Mike.

— Lillia — digo-lhe. Por cima do ombro dele vejo os rapazes voltando. Alex está trazendo a Coca para mim. Estão olhando para nós, provavelmente imaginando quem são esses sujeitos. Nossos amigos podem ser superprotetores quando a questão são rapazes de fora da ilha.

Alex faz cara feia e diz algo a Reeve. Rennie também os vê, ela começa a rir mais alto e a jogar o cabelo para o lado.

Mike, o mais alto, me pergunta:

---

[2] Universidade de Massachusetts. (N.T.)

— Esses caras são seus namorados?

— Não — respondo. Ele está me olhando com tanta intensidade que fico vermelha.

— Que bom — diz ele, sorrindo para mim.

Ele tem dentes realmente bonitos.

KAT

É O COMEÇO DE UMA NOITE PERFEITA DE VERÃO, DO TIPO EM QUE TODAS as estrelas estão visíveis e não é preciso usar pulôver, mesmo perto da água. O que é ótimo, porque deixei o meu em casa. Desabei quando cheguei em casa do trabalho, dormi direto até depois do jantar. Quando acordei, tinha cerca de cinco minutos para pegar a próxima balsa para o continente, então joguei as roupas que estavam no chão na sacola, despedi-me do meu pai com um toca aqui e corri o trajeto inteiro desde T-Town até o cais de Middlebury. Sei que esqueci várias coisas, mas Kim me deixará escolher no armário dela, então não tem problema.

A Avenida Central está lotada. Não tem quase nenhuma loja aberta a essa hora, mas isso não importa. Os turistas ficam andando sem rumo, parando nas vitrines para ver as porcarias de camisetas e visores da Ilha Jar.

Odeio agosto.

Estou resfolegando quando passo por eles e abro caminho até o Java Jones. Se quero estar acordada para o bis do Puppy Ciao, vou precisar de cafeína.

O Puppy Ciao está tocando na loja de música onde Kim trabalha, um lugar chamado Paul's Boutique, no continente. A Paul's Boutique tem o espaço de uma garagem ao lado onde se fazem shows, e, se é uma banda que eu quero ver, Kim me deixa passar a noite no apartamento dela. Ela mora em cima da loja. A banda geralmente termina lá também, o que é ótimo. O vocalista da Puppy Ciao parecia muito atraente na capa do disco deles. Não tanto quanto o baterista, mas Kim diz que bateristas significam problemas.

Subo os degraus até o Java Jones de dois em dois. Mas, quando estou para empurrar a porta, um dos funcionários a tranca.

Bato no vidro.

— Sei que vocês estão fechando, mas você podia me dar um triplo para viagem?

O empregado me ignora, desamarra o avental e desliga o luminoso. A entrada fica escura. Percebo que devo estar parecendo uma das turistas riquinhas da Ilha Jar que acha que os horários das lojas não se aplicam a elas, o tipo de esnobe com que tenho de lidar o dia inteiro na marina. Então jogo meu cigarro pela metade na sarjeta, enfio as mãos nos bolsos da calça de cintura bem baixa e grito em tom de desespero:

— Por favor! Eu moro aqui!

Ele se vira e olha como se eu fosse uma tremenda dor de cabeça, mas então a expressão suaviza.

— Kat DeBrassio?

— Sim? — Aperto os olhos. Ele me parece familiar, mas não consigo reconhecê-lo.

O cara destranca a porta e a abre.

— Eu costumava fazer corridas de bicicleta com seu irmão. — Ele segura a porta aberta para mim. — Cuidado. O chão está molhado. E diga a Pat que eu mandei um alô.

Concordo e caminho na ponta dos pés com minhas botas de motociclista, passando por outro funcionário que está esfregando o chão. Coloco minha sacola no balcão enquanto o rapaz prepara meu café. É então que percebo que o Java Jones não está completamente vazio. Tem um último cliente ainda ali.

Alex Lind está sentado sozinho numa das mesas do fundo, curvado sobre um caderninho. Acho que é seu diário ou algo assim. Peguei-o escrevendo em segredo algumas vezes, quando achava que ninguém tivesse notado. Ele nunca me mostrou o que escreve. Talvez tenha achado que eu ia fazer piada do que quer que fosse.

A verdade é que eu provavelmente faria mesmo. Andar juntos por algumas semanas não bastou para nos tornar amigos *de verdade*.

Não vou interrompê-lo. Vou pegar meu café e sair. Mas então seu lápis para no meio da página. Alex morde o lábio inferior, fecha os olhos e pensa por um segundo. Ele parece um menininho se concentrando nas orações noturnas, todo vulnerável e doce.

Vou sentir falta dele.

Passo os dedos pela minha franja e chamo.

— Ei, Lind.

Ele abre os olhos, surpreso. Desliza o caderninho rapidamente para o bolso interno e vem até onde estou.

— Ei, Kat. O que está rolando?

Viro os olhos para o alto.

— Vou até Kim ver uma banda. Lembra?

Contei a ele não faz cinco horas, quando passou pela marina na minha hora de almoço. Foi assim que começamos a andar juntos. Encontramo-nos no iate clube em junho. Eu já sabia quem ele era, claro. Não é que nossa escola fosse imensa, mas nunca tínhamos conversado antes. Acho que só trocamos algumas palavras na aula de artes duas vezes no ano passado. Andamos em turmas diferentes.

Alex apareceu um dia com uma lancha nova. Quando tentou sair com ela, o motor morreu.

Eu o tirei do assento do piloto e lhe dei uma aula rápida. Alex ficou impressionado com o modo como lidei com o barco. Algumas vezes, quando acelerei de verdade, eu o vi se segurar na beirada, o nó dos dedos branco. Foi tipo bonitinho.

Estava esperando que ele fosse ficar comigo hoje até o fim do meu turno, para o trabalho ser menos aborrecido. E porque eu sabia que ele sairia amanhã para uma viagem de pescaria. Mas Alex me largou lá para ir encontrar os amigos na praia. Seus amigos de verdade.

— Sim — diz Alex, assentindo com a cabeça. — É isso mesmo. — Então ele se inclina e apoia os cotovelos no balcão. — Ei, diga a Kim que estou agradecendo novamente por ela ter me deixado ficar lá, está bem?

Levei Alex para ver a Army of None tocar na loja de discos em julho. Ele nunca ouvira falar da banda antes de nos conhecermos, mas agora é seu grupo favorito. Fiquei embaraçada quando vi Alex usando uma camisa polo do clube da Ilha Jar, short largo e chinelos de dedo. Kim me deu uma olhada daquelas quando entramos, por ele estar vestido de forma tão despojada. Alex comprou uma das camisetas do grupo e a vestiu na mesma hora. Pessoas que vestem camisetas da banda a que vão assistir são terríveis, mas ainda assim foi melhor do que aquela camisa polo.

Assim que o show começou, Alex se integrou sem problemas, balançando a cabeça e acompanhando a música como todo o resto do pessoal. E ele foi muito educado no apartamento de Kim. Antes de entrar no saco de dormir, recolheu as garrafas vazias de cerveja e as colocou lá fora para reciclagem.

— Você quer ir comigo? Não tem mais ingressos, mas dou um jeito de você entrar.

— Não posso — disse ele, com um grande suspiro. — Tio Tim quer sair de madrugada.

O tio Tim é um daqueles eternos solteirões com uma calvície em andamento. Ele não tem família nem nenhuma responsabilidade de verdade, então seu dinheiro é gasto com brinquedos, como o novo iate em que ele, Alex e os amigos de Alex irão para essa viagem de pescaria só para rapazes.

Dou de ombros.

— Bem, então, acho que é adeus de verdade. — Bato continência como um marinheiro. — Faça uma boa viagem — digo, sarcástica, porque não estou falando sério. Eu queria que ele não fosse. Sem Alex indo me visitar no trabalho, esta semana vai ser realmente terrível.

Ele se endireita.

— Posso lhe dar uma carona até a balsa.

— Não se preocupe com isso.

Começo a sair, mas ele segura a alça da minha sacola e a tira do meu ombro. — Eu quero levá-la, Kat.

— Então está bem. Que seja.

Enquanto ele dirige até a balsa, Alex fica me fitando com o canto do olho. Não sei por que isso me faz sentir estranha, mas é o que acontece. Olho pela janela, para ele não poder ver meu rosto, e digo:

— O que há com você?

Ele solta um suspiro.

— Eu não posso acreditar que o verão já acabou. Eu não sei, sinto que desperdicei este verão.

— Talvez você o tenha desperdiçado com seus amigos perdedores. Não ficando comigo — digo, antes de conseguir me deter. E depois me odeio por ter falado como se me importasse.

Geralmente Alex defende os amigos quando faço piada sobre eles, mas dessa vez ele não diz nada.

Pelo resto do caminho, fico pensando no que acontecerá quando a escola começar, se Alex e eu ainda seremos amigos. Claro, ficamos juntos por algum tempo neste verão, mas não sei se quero me associar a ele na escola. Em público.

Alex e eu... funcionamos melhor assim, quando somos só nós dois.

Alex entra no estacionamento da balsa. Antes de conseguir parar, tomo uma decisão súbita.

— Eu posso não ir ao show se você quiser ficar comigo esta noite — digo. Eu não sou uma tiete do Puppy Ciao. Além disso, eles decerto vão tocar lá novamente. Mas eu e Alex? Essa pode ser nossa última oportunidade. Nossa última noite. E penso que, em algum nível, nós dois sabemos disso.

Alex sorri.

— Sério? Você vai ficar comigo?

Abro a janela e acendo um cigarro para esconder o fato de que também estou sorrindo.

— Sim, por que não? Quero ver esse iate de Riquinho Rico pessoalmente.

E é para lá que Alex nos leva. Vamos até a mansão do seu tio Tim, onde a coisa está ancorada. Enquanto caminhamos na direção do barco, logo começo a fazer piada sobre como ele é espalhafatoso, mas o que estou pensando é, *caramba. Esse iate é maior do que a minha casa.* É definitivamente o barco mais incrível que já vi. Melhor do que qualquer outro na marina.

Alex sobe a bordo primeiro, e vou logo atrás. Ele me mostra tudo rapidamente, é ainda mais luxuoso por dentro. Mármore italiano e uma centena de televisões de tela plana, e uma adega cheia de garrafas de vinho da Itália, França, África do Sul.

Penso em Rennie. Ela adoraria ver este lugar.

Com a mesma velocidade, afasto a imagem dela de minha mente. Atualmente isso quase não acontece mais, mas odeio quando ocorre.

Estou tentando entender como funciona o estéreo quando Alex vem por trás de mim. Bem atrás de mim. Ele afasta meu cabelo para um lado.

— Kat?

Eu congelo. Seus lábios tocam meu pescoço. Ele segura meu quadril e me puxa contra seu corpo.

Ele não é meu tipo. De jeito nenhum.

É por isso que é tão maluco. Porque assim que viro a cabeça estamos nos beijando. E eu subitamente sinto como se tivesse esperado o verão inteiro por isso.

UMA SEMANA MAIS TARDE

Capítulo 1

LILLIA

ESTOU SENTADA NO BALCÃO DO MEU BANHEIRO, TENTANDO LEMBRAR O que a moça do setor de maquiagem da Saks disse sobre como aplicar delineador em olhos asiáticos. Só que... não consigo lembrar direito.

Acho que ela disse para exagerar o canto só um pouquinho. Faço o olho direito primeiro, e parece que está bom. Estou terminando o esquerdo quando minha irmãzinha, Nadia, bate na porta com tanta força que dou um pulo.

— Lil! Preciso tomar banho! — grita ela. — Lilliiii!

Pego a escova de cabelos e depois destranco a porta. Nadia entra correndo e abre o chuveiro. Ela se senta na borda da banheira, com sua imensa camiseta de futebol e o cabelo negro brilhante preso num coque, e fica me olhando pentear o cabelo.

— Você está bonita — diz ele, a voz rouca por causa do sono.

Estou? Pelo menos o lado de fora continua o mesmo.

Continuo penteando. Vinte e três, 24, 25, pronto. Escovo o cabelo 25 vezes toda manhã. Faço isso desde que era pequena.

Hoje vai ser como qualquer outro dia.

— Mas eu achei que não se usava branco depois do Dia do Trabalho — acrescenta Nadia.

Olho para meu suéter. É novo, de caxemira branca, macio e justo. Estou usando também meu short branco curto.

— Ninguém segue mais essa regra — digo-lhe, enquanto desço do balcão. — Além do mais, isso é branco inverno. — Bato no traseiro dela com a escova. — Tome seu banho depressa.

— Tenho tempo de enrolar o cabelo antes de Rennie chegar? — pergunta-me.

— Não — digo, fechando a porta ao sair. — Cinco minutos.

De volta ao meu quarto, começo a encher a sacola marrom com as coisas de escola, acionando o piloto automático. Minha caneta nova e a agenda com capa de couro que minha mãe me deu de presente de volta às aulas. Pirulitos. Protetor labial sabor cereja. Tento lembrar se estou esquecendo alguma coisa, mas não me lembro de mais nada, por isso pego as sapatilhas brancas e desço a escada.

Minha mãe está na cozinha, vestida num robe, tomando um expresso. Meu pai lhe comprou uma dessas máquinas chiques de café expresso no Natal, e ela faz questão de usá-la pelo menos uma vez por semana, mesmo preferindo chá e apesar de meu pai raramente estar em casa para vê-la usar a máquina. Ele é médico, do tipo que faz pesquisa. Desde que me lembro, ele sempre trabalhou em alguma nova droga para curar o câncer. Passa parte do mês num laboratório em Boston, e é enviado a toda parte do mundo para apresentar suas descobertas. Ele apareceu na capa de uma revista de ciências neste verão. Esqueci o nome dela.

Apontando o prato de muffins, minha mãe diz:

— Sente-se e coma antes de sair, Lilli. Fiz daqueles com mais açúcar que você adora.

— Rennie vai chegar a qualquer minuto — digo-lhe. Quando vejo o desapontamento em seu rosto, pego um muffin e o embrulho num guardanapo. — Vou comer no carro.

Tocando meu cabelo, ela diz:

— Não posso acreditar que você está no último ano do colégio. Mais um ano, e você vai para a faculdade. Minha garotinha linda está crescida.

Desvio os olhos. Acho que agora estou mesmo crescida.

— Pelo menos ainda tenho meu bebê. Nadi está se aprontando?

Faço que sim com a cabeça.

— Você tem de cuidar de Nadi agora que estarão na mesma escola. Você sabe como ela a admira, Lilli. — Minha mãe aperta meu braço, e eu engulo em seco. Preciso mesmo cuidar melhor de Nadia. Não como fiz na noite de sábado, quando a deixei na festa de Alex. Ela estava com as amigas, mas mesmo assim...

Eu devia ter ficado lá.

A buzina do carro de Rennie toca lá fora, e eu levanto.

— Nadia! — grito. — Rennie está aqui!

— Só mais um minuto! — berra Nadia de volta.

Abraço minha mãe e vou para a porta da garagem.

— Leve um muffin para Rennie — diz ela, assim que fecho a porta atrás de mim. Rennie não ia querer. Ela fica longe dos carboidratos em todo início de temporada de animação de torcida. Mas ela só aguenta um mês antes de ceder.

Na garagem, calço as sapatilhas e então desço pelo acesso de carros até o Jeep de Rennie.

— Nadia está vindo — digo a ela enquanto entro no carro.

Rennie se inclina e me abraça. *Abrace-a também,* digo a mim mesma. E é o que faço.

— Sua pele fica fantástica nesta roupa branca — comenta, olhando-me de cima a baixo. — Eu gostaria de ficar tão bronzeada quanto você.

Rennie está vestindo jeans justos e um top com gola de renda ainda mais justo, com uma camiseta de alça por baixo. É tão magra que posso ver suas costelas. Acho que não está usando sutiã. Ela não precisa. Tem corpo de ginasta.

— Você também está bem bronzeada — digo, colocando o cinto de segurança.

— Foi o bronzeador, meu bem. — Ela coloca os óculos escuros e começa a falar sem parar. — Então, o que estou pensando para a próxima festa. Sonhei com isso esta noite. O tema vai ser... você está preparada? Os anos vinte! As garotas podem vestir coisas incríveis, como um chapéu com plumas e longos colares, e os rapazes podem usar paletós de cintura marcada e calças largas, e chapéus Fedora. Boa ideia, não é?

— Não sei — digo-lhe, olhando pela janela. Rennie está falando tanto e tão rápido que faz minha cabeça doer. — Os meninos podem não gostar. Onde eles vão achar coisas assim aqui na ilha?

— Alô-ô, tem uma coisa chamada Internet! — rebate Rennie, com os dedos na direção. — Por que Nadia está demorando tanto? Quero chegar lá antes de todo mundo para pegar um bom lugar no estacionamento para o ano todo. — Ela aperta a buzina uma, duas vezes.

— Pare — digo-lhe. — Você vai acordar os vizinhos.

— Ah, por favor. O vizinho mais próximo fica a meio quilômetro rua abaixo.

A porta da frente se abre, e Nadia vem descendo a escada correndo. Ela parece pequena contra a imensa casa branca. É uma casa diferente das outras na ilha, com linhas modernas e muito vidro. Minha mãe ajudou a projetá-la. Era originariamente nossa casa de veraneio, mas então mudamos para a Ilha Jar antes de eu entrar para a escola secundária. Fui eu que implorei para mudarmos, para ficar com Rennie e meus amigos de verão.

Minha mãe acena da porta da frente. Aceno de volta.

— Então, você diz sim ou não para festa dos anos vinte? — pergunta-me Rennie.

Eu honestamente não dou a mínima, mas sei que minha resposta é importante para ela, e é por isso que estou inclinada a dizer não.

Mas, antes que eu o faça, Nadia chega ao carro, com o cabelo todo molhado. Ela está usando os jeans novos e o top preto que nós três escolhemos juntas quando fomos fazer compras em julho. Isso parece ter acontecido há séculos.

Ela sobe no assento de trás. Eu me viro e digo:

— Você devia ter secado o cabelo, Nadi. Você sabe que sempre fica resfriada quando sai com o cabelo molhado.

Sem fôlego, ela responde:

— Eu estava com medo de vocês irem embora sem mim.

— Nós não íamos deixar você! — grita Rennie, virando a direção. — Somos suas irmãs mais velhas. Vamos sempre cuidar de você, garota.

Um comentário sarcástico está na ponta da língua, e engulo com força para impedir que ele saia. Se eu falar, nunca mais seremos as mesmas novamente. Seria ainda pior do que agora.

Seguimos pela entrada circular e descemos a rua.

— O treino das animadoras de torcida é às quatro — diz Rennie para mim, balançando no assento ao ritmo da música. — Não se atrase. Precisamos avaliar a carne nova. Ver o que temos para trabalhar. Você se lembrou de trazer sua minifilmadora para podermos filmá-las?

Abro a sacola e procuro, apesar de já saber que não está ali.

— Esqueci.

— Lil! Eu quero avaliar as meninas mais tarde em alta definição — diz ela, e solta um suspiro de desânimo, desapontada comigo.

Encolho os ombros.

— Vamos lidar com a situação. — É isso que estamos fazendo agora mesmo, não é? Lidando com a situação? Mas Rennie claramente é melhor nisso do que eu.

— Nadi, quem é a mais bonita de todas as suas amigas? — pergunta Rennie.

— Patrice — responde Nadia.

Rennie vira à esquerda, e passamos pelas pequenas casas de aluguel que estão por toda a Canobie Bluffs. Presto atenção a uma em particular. O administrador está do lado de fora fechando a casa depois do verão, agora que está vazia. Acho que é o pai de Reeve. Ele está martelando a cobertura nas janelas de baixo. Ele ainda não chegou à janela do quarto principal. Essas janelas ainda estão completamente abertas.

Desvio o olhar e, com o canto dos olhos, observo Rennie. Só para ver se ela notou também. Mas não há nada ali, nenhum reconhecimento, alarme, nada.

— Nadi, você é muito mais bonita que Patrice. Só para você ficar sabendo, só vou aceitar as melhores das melhores para o nosso grupo — diz Rennie. — Se houver alguém de quem você queira ser a animadora, é só falar, que eu acerto tudo.

Nadia respondeu de imediato.

— Alex. Eu posso ficar com Alex?

Rennie solta uma exclamação.

— Ó! É melhor você perguntar à sua irmã. Ele é o brinquedinho dela.

— Rennie, pare com isso. — Falo com mais força do que queria, e ela faz uma careta para Nadia pelo retrovisor. Respiro fundo. — Nadia, há uma fila gigantesca de garotas calouras e veteranas na sua frente querendo Alex. Não podemos mostrar favoritismo desse jeito. Quer dizer, o que iriam pensar se déssemos um formando a uma primeiranista? Além do mais, você ainda tem de passar no teste. Ainda não montamos a equipe.

Diante disso, Rennie assentiu com a cabeça.

— Lil está certa. Quer dizer, você basicamente está dentro, mas temos de tratar você da mesma forma que tratamos as outras. Apesar de você ser claramente especial. — Nadia se contorce no assento como um cachorrinho feliz. — Ah, e não se esqueça de dizer a suas amigas que, se atrasarem um minuto sequer, serão mandadas para casa. E ponto final. Como capitã, tenho de zelar pela ordem nesta temporada.

— Entendi — responde Nadia.

— Boa garota. Você vai ser a estrela das iniciantes.

Sinto que estou flutuando acima de mim mesma quando digo:

— Ela precisa trabalhar o giro de costas. Está fraco.

Ninguém diz nada.

Puxo minha viseira para baixo e olho para Nadia. Os cantos da boca estão virados para baixo, os olhos escuros com uma expressão magoada.

Por que foi que eu disse isso?

Sei bem o quanto ela quer entrar para a equipe. Praticamos o verão todo, giros de costas e estrelas e todos os nossos movimentos. Eu disse a Nadia que, quando Rennie se formasse, ela estaria no alto da pirâmide. Disse também que ela estava pronta para a escola secundária da Ilha Jar. Assim como sua irmã mais velha.

Mas agora não tenho tanta certeza se quero que ela seja como eu ou Rennie. Não mais.

Capítulo 2

KAT

SUBO A CERCA QUE CIRCUNDA O ESTACIONAMENTO DA ESCOLA SECUNDÁRIA da Ilha Jar. A SUV de Alex está estacionada perto do campo de futebol americano, brilhando, recém-lavada para o primeiro dia de aula. Tento ignorar que meu coração está batendo no triplo da velocidade normal, enchendo de calor meu peito, minha garganta e meus ouvidos.

Sábado foi meu aniversário de 18 anos. Passei a noite diante da mesa da cozinha, tomando doses de uísque com meu irmão, Pat, e comendo a torta de chocolate congelada que meu pai comprou no supermercado.

— Ah, Judy — disse meu pai ao fim de uma dose, como se ela estivesse sentada à mesa, virando o copo junto com a gente. — Olhe nossa garotinha.

— Sou uma mulher agora — disse eu, corrigindo-o.

— Uma mulher e tanto — acrescentou ele, empurrando seu copo para ser enchido novamente.

— Credo, pai. Isso foi nojento — disse Pat, servindo-nos outra dose.

Alex devia voltar para casa naquele dia, mas eu não sabia a que horas. Nem se ele ligaria. Não queria pensar nisso. Já queimara muitos neurônios com ele.

Passei a maior parte da semana em que Alex estava fora repassando nossa última noite juntos. Diferentemente dos músicos das bandas que eu conhecia na casa de Kim, com Alex, eu não tinha de me preocupar com até onde a coisa iria, mas ainda assim fora bem quente, o modo como ele assumiu o comando. E era tão improvável ele e eu juntos. Nós nunca devíamos ter nos tornado amigos, menos ainda ficarmos juntos no iate de milhões de dólares do tio dele.

Sei que Rennie arrasaria com Alex se soubesse que tínhamos ficado juntos. E eu sabia que receberia o mesmo tratamento, de Rennie, de Reeve, de todos. Não que nenhum de nós dois estivesse pensando nisso naquele momento. Mas isso deve ter passado pela cabeça dele depois, da mesma forma como passou pela minha.

E então ele me mandou um torpedo.

Bem-vinda à festa na minha casa. Passe aqui se não estiver fazendo nada.

Afastei a cadeira, e Pat disse:

— Do que você está rindo?

Eu mal o ouvi. Estava pensando no meu top com renda preta e no short de calça jeans cortada, mas, daí pensei, e se os pais dele estiverem lá? Eu devia provavelmente vestir algo mais sofisticado.

Sentei novamente. Por que estava tão maluca com isso? Foi só uma noite. Eu tinha de pisar no breque.

Desliguei o celular e pedi mais uma dose ao meu irmão. Lá pela uma da manhã, eu estava oficialmente bêbada. Meu pai fora para a cama, e Pat desmaiara no chão da sala. Nosso cachorro Shep estava raspando as unhas na porta dos fundos, por isso peguei a coleira e fui passear com ele.

Claro que fui parar na casa de Alex. Apesar de White Haven ficar a bons nove quilômetros de T-Town.

Definitivamente, ocorrera uma festa ali, mas já acabara. Copos de plástico e lixo estavam espalhados pela passagem que levava aos fundos. Havia música tocando, aquele tipo de porcaria de música para dançar que toca no rádio, mas o volume estava baixo. As luzes ao redor da piscina estavam apagadas. Havia comida na mesa, potes com batata chips e uma travessa com hambúrgueres que não foram comidos, guacamole ficando marrom, copos cheios de uma bebida cor-de-rosa e guarda-chuvas de papel. Havia mais decoração também. Redes de pesca, tochas, conchas. Um quepe de capitão amarrotado pendendo de um poste. Ouvi Shep roendo alguma coisa que ele encontrara no chão. Tive de lutar para tirar a coisa da boca do cachorro. Era um tapa-olho de pirata de plástico.

Andei até a casa da piscina, onde Alex costuma ficar, e olhei pela janela para ver se ele estava acordado.

Ele dormia na cama, deitado de lado, por cima das cobertas. Parte do acobreado do seu cabelo estava mais claro, cor da areia. E ele estava bronzeado. Bronzeado e sardento.

Parecia tão lindo que levou um segundo até eu notar o corpo pequeno envolto nas cobertas junto dele.

Passo pela fonte a caminho da escola. Lá está Alex, com seus amigos. Rennie e Lillia estão vestidas para o primeiro dia de aula de algum filme idiota. Lillia tem um pirulito na boca. Aquela patricinha tem uma séria fixação oral. E Rennie. Só pelo modo como ela fica de salto, o quadril todo para um lado, a mão nas costas, mostrando os seios pateticamente pequenos, posso ver que está pronta para dominar a escola, agora que é uma formanda. Ela esperou por esse momento toda a maldita vida.

Alex vira a cabeça, e nossos olhos se encontram. Imagino por um segundo se ele vai fingir que não me viu. O que não teria problema nenhum. Mas ele não faz isso. Vem até mim, sorrindo.

— Kat — diz ele. — Ei, feliz aniversário!

Isso me pega despreparada, ele ter se lembrado. E ter celebrado meu aniversário na cama com outra garota. Não sei quem era. Não que isso importe.

— Desculpe não ter ido à sua festa. Você se divertiu? — pergunto, tentando não soar ciumenta por causa da garota que ficou com ele em meu lugar.

— Não muito — Alex dá de ombros. — Eu nem sabia que ia ter uma festa. Foi coisa de Rennie. Ela estava procurando um motivo para dar uma festa.

Rennie? Então Rennie estava por trás da festa? Fazia sentido. Aquela decoração brega e tudo mais. Aquilo não era como convidar a escola inteira para o apartamento de dois quartos de sua mãe.

Alex continua falando.

— Aparentemente, ela fez Lillia pedir a minha mãe que as deixasse fazer a festa lá em casa. Ela colocou meu pai na churrasqueira, assando os bifes. Tinha uma tonelada de gente lá, e todos fantasiados. Meu pai estava usando uma roupa de mergulho. Você sabe como Rennie é boa com os pais. — Alex balança a cabeça, pesaroso. — Ela ficou brava comigo porque não quis colocar um chapéu de marinheiro.

— Espere aí — digo. — Estavam todos fantasiados?

— Sim. Rennie era uma sereia.

Cerro os dentes. Claro que era. *A Pequena Sereia* era a única brincadeira de que Rennie aceitava participar na piscina de Lillia quando éramos pequenas.

— Parece que foi divertido — digo-lhe, realmente sarcástica, e então tento dar a volta nele.

— Como eu disse antes, *não foi muito divertido.* — Ele entra na minha frente e baixa a voz. — Espere. Você está brava comigo? Você viu minha mensagem, certo?

Eu olho duro em seus olhos e falo:

— Por que você me convidou para uma das festas de Rennie?

Ele conhecia a nossa história. Todo mundo conhecia. E eu gostaria de fazer pergunta seguinte, sobre a garota na cama dele, mas fui distraída pelo que vi por cima do seu ombro.

Rennie estava nos observando.

— A-lex! — chama ela, num tom melodioso. — Você pode vir aqui um segundo?

— Alex está ocupado — respondo-lhe. — E você não devia interromper as pessoas quando elas estão *con-ver-sando!* — continuei, usando também um tom melodioso.

Rennie suspira. Ela segura a mão de Lillia e a puxa para onde estava sentada, na beirada da fonte.

— Venha, Alex. Precisamos falar com você. — Mas Lillia se solta.

Alex olha por cima do ombro. Incomodado, ele diz:

— Que tal eu ligar para você mais tarde?

Eu o deixo ir.

— Tanto faz. — Não quero entrar nisso agora, com todo mundo olhando.

— Eu falo com você depois do treino de futebol — diz ele, enquanto se afasta de costas.

Escuto Rennie dizer-lhe:

— Sobre o que você estava falando com ela? Você está querendo contratá-la para limpar o iate de seu tio?

Alex começa a dizer que não, mas Rennie o interrompe.

— Você tem de ter cuidado, Lindy. Quer dizer, você não pode deixar qualquer um entrar no barco. O que aconteceria se ela pegasse alguma coisa?

Sinto meu corpo todo enrijecer. É Rennie quem gosta de roubar coisas em lojas. Na maioria das vezes é maquiagem nas lojas de conveniência, mas às vezes é uma blusa ou um bracelete nas lojas da Avenida Central. Eu costumava ser a vigia dela.

Rennie espalhou uma centena de rumores sobre mim ao longo dos anos, como o que dizia que meu pai é um traficante de metanfetamina e está treinando meu irmão, Pat, para entrar no negócio da família; o de que eu tentei beijá-la na boca numa noite em que dormi em sua casa; e o de que ela tentou conseguir uma ordem de restrição contra mim, porque eu a perseguia depois que ela deixou de ser minha amiga. E todo tipo de mentira, só para ter algo interessante a dizer. Eu nem me preocupava em desmentir. Era muito engraçado, a grande mentirosa que ela era. E ela chegava a acreditar no que inventava. De qualquer forma, não importaria o que eu dissesse. As pessoas acreditariam no que quisessem acreditar.

Mas agora, por alguma razão, não quero que Alex pense que sou uma ladra barata.

Por cima do ombro dele, Rennie faz um gesto de adeus para mim.

Antes de pensar no que estou fazendo, corro até eles. E, ao chegar lá, abaixo meu ombro e me choco com Rennie com toda a minha força.

Capítulo 3

MARY

QUANDO ACORDEI ESTA MANHÃ, SENTI UM FRIO NO ESTÔMAGO. QUE NÃO parou mais. Este é o dia pelo qual eu estava esperando.

Atravesso Middlebury e pego a trilha de bicicleta junto à água, onde a costa é rochosa no início de Canobie Bluffs. Na parte mais alta do penhasco a trilha adentra a floresta. Está frio aqui, sob os pinheiros, e gosto do som baixo dos pneus rodando pela trilha de areia.

Tia Bette ainda estava dormindo na hora de eu sair, mas felizmente minha velha Schwinn amarela estava na garagem e em muito boas condições. Nem havia poeira nela.

Fico imaginando o que acontecerá. Quando todos se afastarem e estivermos só nós dois frente a frente.

Eu poderia dizer: *Oi, Reeve*, num tom calmo e seguro.

Eu poderia dizer: *Você não achava que me veria de novo, não é?*

As possibilidades ficam girando na minha cabeça mais depressa que os pedais. Nem mesmo penso no que ele vai dizer. Não importa. Vou criar meu momento, e pronto.

A trilha de bicicleta leva até a parte detrás da escola secundária da Ilha Jar. Paro com uma derrapada. O prédio da escola se estende até o campo de futebol americano. Fico surpresa com como a escola secundária é grande.

Vim aqui uma vez, quando criança, com meus pais, para assistir a uma companhia de teatro que montou uma versão musical de *O jardim secreto* no auditório de artes. Acho que naquela altura pensei que era só aquilo que havia aqui, mas agora vejo que o auditório é uma construção separada da escola. E há também outro prédio para o ginásio, e um para a piscina. Há jovens por todos os lados, centenas de rostos, infestando o lugar como formigas. Fico imaginando se vou ver alguém que conheço, mas até agora não aconteceu. São todos estranhos.

Sigo o fluxo de estudantes por um caminho de concreto que vai dar num grande pátio central. Alguns rapazes estão jogando Ultimate Frisbee[3] no gramado. Há alguns bancos, duas árvores e, no centro, uma grande fonte borbulhante que lança uma névoa de vapor no céu azul.

Reeve está aqui em algum lugar. Eu sei. Posso sentir.

Ajeito o cabelo e giro lentamente.

Uma garota vestindo short jeans, top preto e um moletom com o capuz removido e com o cabelo escuro ondulando a suas costas, corre na direção de outra garota, menor que ela e de cabelo castanho ondulado, e se choca com força contra ela. Com tanta força que escuto o som daqui onde estou.

[3] Jogo originariamente chamado Ultimate Frisbee, mas que é conhecido agora apenas como Ultimate, porque Frisbee é um nome registrado. Consiste num campo com uma zona de gol de cada lado que tem a largura do campo, e o objetivo é lançar o frisbee para um parceiro que esteja na zona de gol adversária. Quem está com o frisbee não pode correr e precisa ficar com um dos pés plantados no chão todo o tempo. (N.T.)

A garota menor se desequilibra nos saltos altos e quase cai na fonte. Ela solta um grito muito alto. Eu a reconheço agora. Acho que a conheci faz muito tempo. Talvez na escola dominical ou no acampamento ou em algum outro lugar.

A de short cortado diz:

— Você é que é cleptomaníaca, Rennie! Eu nunca roubei nada na minha vida!

Rennie. É isso. É esse o nome da garota mais baixa. Ela estava na minha classe de natação no terceiro ano. A outra garota se aproxima de Rennie. Um rapaz de cabelo castanho tenta segurá-la, mas ela o empurra.

— E se ouvir você espalhando mais mentiras sobre mim, eu mato você. — A forma como a garota diz isso, muito séria, causa-me arrepios.

As pessoas por todo o pátio diminuem o passo para olhar, como gaivotas circulando o lixo na praia. Tenho essa sensação de desamparo, essa sensação de náusea. Mas todos parecem divertir-se com a cena. Todos menos o rapaz de cabelo castanho.

Rennie se endireita.

— Hummm… você vai me *matar?* Mesmo? — Ela ri. — Certo, chega de mentiras, Kat. Vou falar a verdade para você agora mesmo. Lembra aquela vez, no nono ano, quando você veio me procurar, implorando para eu ser sua amiga novamente? — O sorriso no rosto da outra garota, Kat, desaparece. — Você estava chorando, e ficou tentando me abraçar. Só para você saber, aquele tempo todo eu fiquei pensando como seu hálito cheirava a merda. Como sempre cheirava a merda, mesmo logo depois de você escovar os dentes. E fiquei tão aliviada quando você se afastou e eu nunca mais precisei cheirar novamente seu hálito de merda.

Os cantos da boca de Kat viraram para baixo. Ela quer dizer alguma coisa, mas não consegue. Vejo em seu rosto, em seus olhos. Ela começa a tossir, e, a princípio, penso que está segurando o choro. Mas então a cabeça de Kat se inclina um pouquinho para trás e ela cospe um monte de meleca na cara de Rennie.

Todos que estão olhando exclamam:

— Que nojo!

O rapaz diz:

— Caramba, Kat!

— Ó MEU DEUS! — grita Rennie, limpando o rosto furiosamente. — Você é *tão* baixa, Kat! — Ela olha em volta, com todo mundo a observando, e seu rosto enrubesce. — Ó meu Deus — repete, dessa vez sussurrando para si mesma.

Kat se afasta. Nossos olhares se encontram quando ela passa. Seus olhos parecem estar em chamas, e eu mal posso respirar.

Sinto-me desorientada, não sei mais onde é em cima ou embaixo, nem para onde ir. É assim a vida na escola secundária da Ilha Jar? Porque, se for, não sei se consigo chegar ao final do dia.

Uma menina asiática muito bonita se aproxima de Rennie e lhe oferece um lenço, mas ela não pega. Ela fica ainda mais abatida quando um rapaz de cabelo escuro a abraça e oferece a manga da camiseta para limpar-lhe o rosto.

— Vamos lá, garota — escuto-o dizer. — Uma briga no primeiro dia de aula! Ren, você sabe que é melhor do que isso. Não deixe DeBrassio arrastar você para a sarjeta junto com ela... Mas, tenho de dizer, ver vocês duas brigando foi um tanto sexy. — Ele inclina a cabeça para trás e solta uma risada que devia estar segurando.

Eu não ouço isso. Não ouço nada. Só ouço meu coração batendo nos ouvidos. Tudo o mais está mudo. Porque é ele. Bem ali na minha frente, depois de todos estes anos. É Reeve Tabatsky.

Eu o reconheceria em qualquer lugar. Tem o mesmo cabelo castanho-escuro, o mesmo nariz romano. E aqueles olhos. Verdes como o mar. Ele está mais alto agora, muito mais alto. Ombros largos, braços musculosos. Está vestindo camiseta branca e calça cáqui surrada e tem um óculos espelhado de piloto no alto da testa.

Quando éramos pequenos, ele era um garoto bonito. Mas agora... é lindo. Ele está tão lindo!

Minhas pernas começam a tremer. Não posso fazer isso. Preciso correr, esconder-me, mas não consigo sair do lugar. Apenas fico ali, enraizada no chão.

Os dois caminham na minha direção, Reeve com o braço ao redor dos ombros de Rennie. Seguro a respiração e espero por um olhar de reconhecimento, alguma coisa, qualquer coisa, quando Reeve se aproxima. Mas nada acontece. Ele passa por mim, tão perto que quase nos tocamos. Ele não percebe que estou aqui.

Viro-me para olhá-lo pelas costas. Ele não me viu? Ou talvez estivesse distraído demais com Rennie pendurada nele. Ou talvez tenha me visto, mas estou muito mudada e por isso ele não me reconheceu. Sou provavelmente a última pessoa que ele espera ver.

Entorpecida, eu os sigo para dentro do prédio. Reeve e Rennie desaparecem juntos num corredor, engolidos por uma multidão de outros estudantes. Não sei para onde ir. Ando por ali e acabo entrando no banheiro feminino quando alguém sai. Esgueiro-me pelo espaço enquanto a porta vai fechando.

Meu estômago está se contorcendo. Corro até a última baia e desabo sobre o vaso, a ponta do meu cabelo tocando a água.

Respiro fundo duas vezes. Inspiro e expiro. Talvez não tenha sido nenhum desses motivos.

Talvez não valha a pena relembrar.

Capítulo 4

LILLIA

ESTAMOS SENTADOS À NOSSA NOVA MESA DE ALMOÇO, A TURMA DE sempre: eu e Rennie, Ashlin, Alex, Reeve, PJ, Derek, mais dois outros caras do time de futebol americano. Herdamos essa mesa dos formandos do ano passado. É a tradição. A mesa das estrelas, no centro da assim chamada ação. No último dia de aula dos terceiranistas, os formandos mais descolados convidam os terceiranistas mais descolados para almoçar com eles. É como uma passagem da tocha da popularidade. Pena que seja igual a qualquer uma das mesas nojentas desse refeitório.

Ashlin está sendo inoportuna, falando e falando sobre a sauna que seus pais instalaram. Até que eu digo:

— Ashlin, ninguém se importa. — Ela então para de falar, com uma expressão magoada nos olhos castanhos. Sinto-me um tanto mal, então acrescento: — Brincadeirinha.

Rennie pega um donut polvilhado com açúcar da minha bandeja e o enfia na boca.

— Pensei que você não ia comer carboidratos durante a temporada de animação de torcida — digo, e puxo a bandeja com o meu almoço para mais perto. Só restaram três.

Rennie faz uma careta para mim.

— Eu preciso de alguma coisa para levantar o astral depois da manhã que tive. Talvez eu devesse fazer um teste de HIV ou algo assim. Quem sabe que tipo de germes aquela vaca está carregando. — Ela imita o som de vômito, e posso ver sua língua branca por causa do açúcar de confeiteiro.

Reeve puxa sua cadeira para mais perto de nós. Eu me afasto um pouco. Ele deve ter usado metade do vidro de colônia esta manhã. Está me dando dor de cabeça. Ele murmura:

— Rennie, meu bem?

— Sim, Reevie querido? — Rennie olha para ele.

— Você sabe que você é assim como uma esposa para mim, certo?

Eca!

— Claro.

— E uma esposa tem de assegurar que seu homem seja bem tratado — continua ele. Eu faço uma cara de *me enforque* para Ashlin, que dá uma risadinha. Reeve me vê fazer isso e faz um gesto de desprezo na minha direção antes de voltar-se novamente para Rennie. — Então... você pode, *por favor*, dar um jeito de eu pegar uma animadora de torcida que saiba o que está fazendo este ano? Estou falando sério. Não posso ter lá, representando o número 63, uma garota que tenha apenas um rostinho bonito. Quem quer que pegue o trabalho tem de ter muita experiência, tem de ter o pacote completo.

— E o que é o pacote completo? — ronrona Rennie.

Reeve estala os dedos.

— Ritmo, boa coordenação entre mãos e olhos, flexibilidade bastante para fazer alguns dos movimentos mais complicados. Nada dessa porcaria de giro para trás. Quero algo mais complicado, boas variações. Você sabe do que estou falando.

— Sei exatamente do que você está falando, Reevie — diz Rennie, com os olhos brilhando. — Considere feito.

Reeve estende a mão por cima da mesa e belisca suavemente a face dela. Rindo, Rennie dá um tapinha, afastando a mão dele.

— E você, Alex? Quem você quer?

— Tanto faz — responde e volta a falar com Derek.

Rennie me diz, sem som, apenas com movimentos labiais: *Qual é o problema dele?* Dou de ombros. *TPM*, ela continua.

Ela se inclina para a frente e pega outro donut da minha bandeja.

— O que você acha de eu dar Alex para Nadia? Quer dizer, é certo que, se conseguir um jogador formando, ela vai se tornar a garota mais descolada entre os porquinhos novatos.

Pego o donut de volta.

— Sim, claro. — Ainda estou me sentindo mal pelo que disse a Nadia de manhã. Talvez isso a faça sentir-se melhor.

— Então você concorda?

— Por que eu não concordaria? — Sei no que ela está pensando, mas me recuso a jogar esse jogo. Como eu disse um milhão de vezes, não o vejo dessa forma.

— Está bem.

Levanto da mesa e vou até a máquina de refrigerantes antes que ela possa dizer qualquer outra coisa.

Estou tentando decidir entre um refrigerante sabor uva e uma Coca quando Alex aparece atrás de mim.

— Ei, Lindy — digo-lhe, apertando o botão da Coca. Ocorre-me que Rennie provavelmente está pressionando Alex tanto quanto está me pressionando. Aposto que está dizendo a ele as mesmas mentiras também. Que eu tenho sonhado com ele. Que devíamos ficar juntos.

Em tom neutro, ele diz:

— Isso é tudo que você tem para me dizer? "Ei, Lindy?" Você notou que eu a estou ignorando desde sábado?

Olho para ele, minha boca um perfeito O. O que há com ele?

— Não posso acreditar em você, Lillia — diz ele, fervendo. — Você e Rennie sequestram minha casa para dar uma festa, fazem a maior sujeira com purpurina por todo lado e depois de meia hora saem para ir a outra festa! Que droga!

Eu nunca vi Alex assim antes, tão bravo. Mas ele tem razão por estar bravo. Nós não devíamos ter saído daquela forma. — Desculpe — sussurro. Ele não tem ideia de como estou realmente arrependida.

Ele balança a cabeça para mim e se vira para afastar-se, mas estendo a mão e seguro-lhe a manga. Puxando-o, eu digo:

— Não fique bravo.

Ele está me olhando feio e não me deixa escapar.

— Quando vocês vão lá recolher sua decoração e a porcaria toda?

— Rennie e eu iremos lá depois do teste das animadoras de torcida e arrumaremos tudo — respondo rápido.

Alex não diz nada. Apenas se afasta. Indo não para a mesa, mas para a cafeteria.

Rennie enfiou na cabeça que devíamos fazer uma festa de boas-vindas para os rapazes. Ela decidira que o tema seria No

Fundo do Mar, e ela própria seria uma sereia. As outras veteranas poderiam usar biquíni, saia de folhas e colar havaiano. As calouras e as do segundo ano seriam pescadoras atraentes. Deixamos Nadia convidar três de suas amigas, mas elas teriam de fantasiar-se de peixes e usar nadadeiras nos pés o tempo todo, senão teriam de ir embora.

Havia mais uma condição: eu disse a Nadia que não poderiam beber. Ela concordou na hora. Então, quando ela apareceu com as amigas, todas com tops e shorts verdes e andando desengonçadas com seus pés de pato, dei a ela uma piña colada sem álcool. Tomei uma também, apesar de Rennie ficar tentando colocar no meu copo um pouco do rum das garrafas que ela escondera pelo quintal.

A festa foi um sucesso. A música tocava alto nas caixas, e acendemos tochas por todo o gramado, as pessoas dançavam e nadavam na piscina. Até os rapazes entraram no espírito da coisa. Reeve pegou um lençol da cama de Alex, fez uma toga e se intitulou Posêidon. Ele ficava andando por ali com um forcado na mão, dizendo que era um tridente. Eu tenho certeza de que tudo que ele queria era tirar a camisa. Alex usava seu chapéu de pescador, e os outros vestiam pelo menos shorts de banho e óxido de zinco.

Rennie vestia uma saia azul justa, a parte de cima de um biquíni branco e meia arrastão. Ela gastou metade do dinheiro destinado à festa na peruca e na fivela de estrela-do-mar de strass. Eu era uma salva-vidas de *Baywatch* com meu maiô vermelho inteiriço, short branco curto e chinelos. Tinha também um apito pendurado ao pescoço e um flutuador de salva-vidas preso às costas. Ashlin era uma água-viva. Ela vestia uma saída de banho branca e transparente por cima do biquíni branco, e trançou longas faixas de papel crepom branco no cabelo loiro.

Rennie e eu estávamos juntos da churrasqueira tomando nossas bebidas e olhando tudo quando a Sra. Lind veio e me deu um grande abraço.

— Lillia, essa foi uma ideia *tão* boa — disse, beijando-me no rosto. Ela estava com um vestido típico havaiano e tinha uma flor no cabelo. — Alex ficou tão surpreso!

Ela saiu para pegar mais quibes de frutos do mar, e Rennie me cutucou com o cotovelo.

— Tá vendo? Eu disse que ia ficar tudo bem. Por que você estava tão preocupada?

— Eu não estava *preocupada* — disse, ajustando meu flutuador de salva-vidas. — Eu só acho que é meio estranho pedir para a mãe de alguém para fazermos uma festa na casa deles.

— Lil — disse Rennie com ar suave —, a mãe de Alex ama você. Você é a filha que ela nunca teve. Ela lhe deu aquele bracelete Dior cor-de-rosa no seu aniversário! Eu procurei no site deles, e, estou dizendo, não foi barato. Um deles custa algo em torno de seiscentos dólares!

Rennie pegara o bracelete emprestado há meses e não devolveu mais. De qualquer forma, ele fazia mais o estilo dela que o meu.

Ela já estava aborrecida com a conversa, por isso ficava olhando para o quintal, passando a mão pela peruca loira e longa.

— Mas que droga Teresa Cruz está fazendo aqui? Eu me lembro claramente de que não a convidei. Olhe para ela. Está usando um colar havaiano e uma saia de folhas. Isso não é um luau — esbravejou. — Ela é tão sem graça... E eu não sei o que deu em Reeve. Ele mal nos disse oi, e essa festa é para ele.

Eu estava procurando Teresa em sua fantasia sem graça quando Alex e eu nos vimos e ele acenou para mim. Ele estava com Reeve, Derek e o tio Tim. Todos fumavam charutos, menos

Alex. Comecei a andar na direção deles, quando Rennie pegou meu braço.

— Ó meu Deus! — exclamou ela, com o telefone na mão, e acenou para mim, com os olhos brilhando. — Ele me mandou um torpedo.

— Quem? Reeve?

— Ian! — Ian era um dos caras da UMass que conhecemos na praia. Ele e Rennie tinham saído durante aquela semana. Ele a levara para jantar, mas depois não dera mais sinal de vida. — Eles estão fazendo uma festa! É a última noite deles na ilha. Nós temos de ir.

— Agora?

— Sim!

— Ren, não podemos ir — disse eu, rindo. — Esta festa é nossa, lembra? Temos de ir buscar os cupcakes e os fogos e tudo o mais. — Nadia e eu tínhamos passado a tarde decorando os cupcakes. Colocamos corante azul na cobertura e esfarelamos bolachas em cima para parecer areia.

Rennie fez bico, estendendo o lábio inferior.

— Por favor, Lil! Ele é realmente legal. Ele vai fazer medicina! E eu lhe disse que o amigo dele, Mike, fica perguntando por você. Não podemos ir e ficar lá só um pouco? E voltaremos logo. Ninguém vai sequer notar que saímos!

Olhei ao redor pelo quintal. Ashlin estava na sala dos fundos, jogando pôquer com alguns dos rapazes. Derek tentava olhar as cartas dela, e ela ria e o empurrava. Ela definitivamente não notaria se saíssemos, não com a atenção que estava recebendo de Derek.

— E quanto a Nadia? — perguntei.

— Ela está bem! Olhe, ela está se divertindo.

Olhei para Nadia, ela estava sentada junto da piscina com as amigas, as pernas na água, balançando os pés com as nadadeiras. Elas riam e jogavam água para cima. Rennie balançou meu braço de um lado para o outro. E disse, implorando:

— Por favoooor, Lil. Essa é minha última chance de ver esse cara. Eles vão embora amanhã. É agora ou nunca!

Suspirei.

— Uma hora, e então voltamos para cá. Promete?

Rennie soltou um gritinho e me abraçou.

— Sim! — Então ela olhou para a fantasia de sereia e franziu a testa. — Não podemos aparecer lá assim. Vamos parecer tão ginasianas.

— Podemos nos trocar no carro — sugeri depressa. Se fôssemos até a casa de Rennie nos trocar, levaria um tempão. Eu só queria ir e voltar para que as pessoas pudessem ver nossos cupcakes, mesmo que tivessem sido feitos com massa pré-pronta. Não os servi com o resto da comida porque queria que fosse algo especial.

Rennie deu de ombros.

— Está bem, então. Vou retocar minha maquiagem. Encontro você no carro em dois segundos.

Ela correu para a casa, e eu fui para o Jeep. Estava procurando na minha sacola pelo top que usara mais cedo, quando senti alguém puxar meu cabelo. Virei-me.

Reeve.

Ele passou o braço por cima do meu ombro e empurrou a porta, fechando-a.

— Para onde você está indo? — perguntou, aproximando-se.

— Não é da sua conta.

— Vamos lá. Conte.

Tentei afastá-lo do Jeep, mas ele não se moveu.

— Reeve, dê o fora!

— Então você faz uma festa de boas-vindas para um cara e depois dá o fora? — Reeve balançou o dedo diante de mim. — Você não é uma boa garota, Cho — disse e se afastou.

— Eu nunca disse que era — gritei para ele.

Abri meu refrigerante e tomei um gole enquanto caminhava de volta até nossa mesa. Sentei onde Alex estava antes, perto de PJ e de Reeve. Reeve me olhava do mesmo jeito que fez naquela noite, os olhos meio fechados, o ar desconfiado.

— Por que esse bico imenso agora, Cho? É porque teve de pagar seu próprio refrigerante? — pergunta ele.

— Cale a boca.

— Garotas como você... — começa a dizer e então faz um gesto para mim, e seu braço derruba acidentalmente minha Coca.

O refrigerante molha toda a frente do meu suéter. Com uma exclamação, dou um pulo para trás. PJ e Reeve afastam as cadeiras para escapar do líquido. Sinto a Coca atravessando a caxemira e chegando ao meu sutiã. A grande mancha marrom se espalha pelo meu peito.

— Você... você acabou com meu suéter.

— Relaxe, Lillia. Foi um acidente. — Reeve se aproxima com um guardanapo, tentando enxugar a Coca.

Eu recuo.

— Não toque em mim!

— Ah, esqueci. A princesa Lillia não gosta de ser tocada. Não é mesmo? — diz, sarcástico, e lança uma piscadela para mim.

— Reeve, deixe-a em paz — diz Rennie.

Meus olhos se enchem de lágrimas. Baixo a cabeça e enxugo o suéter, de forma que o cabelo caia sobre meu rosto. Digo a mim mesma que está tudo bem. É apenas Reeve sendo Reeve. Ele não sabe de nada. Como poderia? Rennie não contaria a ninguém. Prometemos uma a outra. Tento respirar fundo, mas engasgo. Meu lábio inferior começa a tremer. Tenho de dar o fora daqui antes que desabe na frente de todo mundo.

— Para sua informação, este suéter custa trezentos dólares, o que é mais do que aquela porcaria de carro que você dirige.

Pego minha bolsa e vou para o banheiro feminino. Corro para dentro, vou até a pia e abro a torneira. Não vou chorar. Não vou. Não vou chorar na escola. Eu não faço isso.

Só que não há opção.

Estou chorando tanto que meus ombros sacodem e a garganta dói. Não consigo parar.

A porta se abre, e torço para que seja Rennie. Mas não é. É Kat DeBrassio. Ela coloca a bolsa junto da pia ao lado da minha e ajeita o cabelo enquanto olha no espelho, sacudindo os cachos.

Jogo água fria no rosto e tento esconder o fato de que estava chorando. Mas ela deve ter visto, porque pergunta, com seu jeito rude:

— Você está bem?

Eu olho direto para a frente, para meu reflexo.

— Estou bem.

Conheci Rennie primeiro, na fila do velho cinema da Avenida Central. Estava com dez anos e me achava muito crescida, ali na fila com minha nota de 10 dólares no bolso de trás. Rennie disse que gostava do meu chinelo de dedo. Era um chinelo lavanda com bolinhas cor-de-rosa. Ela me apresentou Kat duas semanas depois. Daí em diante nós éramos um trio. Antes de Rennie e Kat, eu só tinha Nadia para brincar quando íamos passar o verão na Ilha Jar. Agora eu tinha duas melhores amigas.

Toda sexta à noite íamos dormir na casa de uma das três, alternando as casas. Espionávamos o irmão mais velho de Kat e brincávamos com o cachorro dela, Shep. No condomínio de Rennie, fazíamos pralina de amendoim no micro-ondas, e a mãe dela nos maquiava. Na minha casa, Rennie e Kat faziam competição de nado na piscina, e eu ficava na parte mais rasa e era a juíza. Brincávamos com minha casa de bonecas vitoriana e, quando já estávamos mais velhas, fazíamos filmes com a câmara de vídeo do meu pai e os mostrávamos para minha mãe e Nadia no café da manhã.

Eu costumava ficar com inveja, sabendo que deixaria a Ilha Jar no final de agosto, e Rennie e Kat continuariam tendo uma à outra. De muitas formas, as duas eram parecidas, eram ambas destemidas. Eu era a gatinha assustada. Era como Kat vivia me chamando. Eu nunca queria saltar do trampolim mais alto, nem segurar o leme quando o pai de Kat nos levava para velejar, nem ficar com os garotos quando nos encontrávamos na praia. Mas Rennie e Kat, as duas cuidavam de mim. Faziam com que eu me sentisse segura.

Quando minha família decidiu mudar-se para cá, foi um sonho que se realizou. Aquele verão foi um aquecimento para a diversão que íamos ter no colegial. Mas então, no começo de agosto, Rennie finalmente convenceu sua mãe a deixá-la fazer uma plástica no nariz. Nunca achei que o nariz dela fosse ruim, mas, quando Rennie me mostrou o calombo que ela tinha ali, também o vi. Quando os curativos foram tirados e as cicatrizes sumiram, foi ela quem decidiu que devíamos ser as mais legais da escola secundária. Kat disse que isso era idiotice, e Rennie ficou brava, então tiveram uma de suas brigas. Eu esperava que tudo voltasse a ficar bem em alguns dias, como costumava acontecer, mas uma semana depois Rennie ainda estava brava. Ela disse que Kat era imatura, que não entendia nada. Que estava nos puxando para baixo.

Não deixamos Kat de lado imediatamente. Fomos juntas ao continente fazer as compras para a volta às aulas, como tínhamos planejado. Fomos ao cinema no aniversário de Kat, mas Rennie fez questão de sentar do meu lado para dividirmos os confeitos de chocolate, e isso foi estranho. Depois deveríamos passar a noite na casa de Kat, mas, quando estávamos saindo do cinema, Rennie anunciou que não estava se sentindo bem e que não iria para lá. Era óbvio que ela estava fingindo; Rennie é péssima atriz. Puxei Kat para o lado e perguntei:

— Você quer que eu vá?

E ela disse:

— Esquece.

Fui para casa e fiquei pensando naquilo, primeiro sozinha, depois conversei com minha mãe. Contei a ela como as duas vinham brigando, que Rennie não queria mais ser amiga de Kat e como eu me sentia presa no meio daquilo.

— Quer dizer, se eu tivesse de tomar partido, acho que ficaria do lado de Rennie — disse-lhe.

— Por que você tem de tomar partido? Por que não as faz ficar amigas de novo? — disse minha mãe.

— Eu duvido que Rennie vá me escutar — respondi.

— Você poderia pelo menos tentar — retrucou. — Kat passou por muita coisa. Ela precisa das amigas.

Senti uma pontada de culpa. A mãe de Kat morrera no ano anterior. Ela passou muito tempo doente antes de morrer. Kat não queria falar sobre isso, pelo menos não comigo. Ela falava com minha mãe às vezes, mas só quando Rennie e eu estávamos no meu quarto.

— Vou tentar — disse para minha mãe.

Daí tive essa grande ideia. No primeiro dia de aula, eu daria a Rennie e Kat colares da amizade. Isso nos aproximaria novamente, afastaria os sentimentos ruins.

Minha mãe e eu compramos os colares na bela joalheria em White Haven, o lugar onde meu pai sempre comprava algo para minha mãe no aniversário de casamento deles. Correntes idênticas de ouro, com um pingente especial para cada uma. Eu estava realmente animada pensando em dar as caixinhas de veludo preto a elas; sabia que Rennie em especial amaria o presente.

Naquele primeiro dia de aula a mãe de Rennie foi me buscar, e eu esperava ver Kat e Rennie no assento de trás do carro. Elas moravam do mesmo lado da ilha, e eu morava mais afastado.

Mas Kat não estava lá, era só Rennie com sua nova minissaia jeans com pesponto nos bolsos detrás. Entrei no carro e perguntei:

— Kat está doente?

Rennie fez que não com a cabeça.

Quando ela viu a mãe nos olhando pelo retrovisor, Rennie se inclinou e sussurrou:

— Eu não quis ir buscá-la. Não quero mais saber dela.

— Você avisou que não ia buscá-la? — sussurrei de volta. E se Kat estivesse diante da casa nos esperando? E se ela chegasse atrasada no primeiro dia de aula?

— Ela vai perceber — disse Rennie. Ela tocou o nariz e perguntou, preocupada: — Parece estar inchado?

Apesar de planejar dar os presentes de Rennie e Kat ao mesmo tempo, fui em frente e entreguei o de Rennie ali mesmo. Ela parecia mal-humorada, e eu queria começar o dia num clima bom. Ela gritou tão alto que sua mãe pisou no freio. O pingente dela era um coração. O meu era um cupcake em miniatura. Nós duas colocamos os colares na mesma hora.

Coloquei o de Kat no armário dela. Ela não comprou um cadeado quando fizemos nossas compras. Disse que esqueceria a combinação de qualquer forma. Além do mais, ninguém na ilha roubava nada, era totalmente seguro.

Quando vi Kat vindo pelo corredor mais tarde naquele dia, os olhos dela estavam vermelhos, e ela não estava usando o colar. O pingente dela era uma chave de ouro. Achei a chave bonita, mas também havia algo de forte e prático nela. Igual a Kat.

Ela passou direto por mim.

Tentei falar disso com Rennie mais tarde, ver se havia um jeito de fazer as coisas serem novamente como antes. Mas ela não quis saber do assunto. Não quis nem falar a respeito. Para Rennie, estava tudo acabado. Apagado. Ela tinha um jeito de fazer isso. Apagar as coisas de que não gostava. Mas eu não a vira apagar uma pessoa antes.

Enxuguei o rosto com um papel-toalha. Virei para jogá-lo no lixo e, de costas para ela, falei:

— Honestamente, eu nunca achei que seu hálito fosse ruim. Se você quiser saber. — Percebi que foram as primeiras palavras que lhe dirigi em anos.

Kat ficou ali olhando para mim, e sei que ficou surpresa.

Então, no último cubículo, ouvimos um som. Uma respiração curta, do tipo que você tem de forçar-se a usar quando está chorando. Nós duas olhamos para lá.

— Quem está aí? — perguntei, em pânico, como se tivesse sido pega fazendo algo errado.

— Ei. Quem está aí? — perguntou Kat.

Não houve resposta. Então Kat marchou até o cubículo e chutou a porta com a bota, abrindo-a.

Capítulo 5

MARY

Estou encarapitada no alto da privada, abraçando os joelhos contra o peito.

A porta do cubículo se abre. A garota cuspidora daquela manhã está olhando para mim. A menina asiática bonita está ao lado dela, e seu suéter branco tem uma grande mancha na frente.

— Quem é você? — pergunta Kat, num tom firme.

— Sou Mary. — Engulo com força. — Prazer.

— Muito prazer — responde Kat, secamente.

— Qual o nome de vocês?

Isso parece desarmar as duas.

— Eu sou Kat, e essa é a princesa Lillia.

A menina asiática olha feio para a outra.

— É só Lillia. — Então ela estreita os olhos, voltando-se para mim. — Por que você está escondida aqui?

— Hummm... não tem motivo. — É duro olhar nos olhos dela, já que a escutei chorar nos últimos dez minutos. Não parece correto, uma garota tão linda e popular não devia ter nenhum motivo para chorar. Seja o que for, deve ter sido algo bem ruim.

Lillia joga o cabelo por cima do ombro.

— Você está obviamente incomodada com alguma coisa. Ou talvez apenas goste de espionar os outros no banheiro?

Kat se encosta na porta.

— Deixe-me adivinhar. Você passou o verão com um cara. Você o deixou fazer o que quisesse com você, e agora ele nem se lembra do seu nome.

— Não chegou nem perto — digo, e mordo o lábio inferior. Não sei se devo contar alguma coisa a essas duas. Afinal de contas, Lillia é parte da turma de Reeve. Ela é amiga dele. E Kat... bem, ela é apenas assustadora. — Eu vi uma pessoa que achei que eu conhecia. Foi só isso.

— Quem? — pergunta Kat. Posso dizer pela forma como ela se recosta na porta do banheiro que não me deixará sair até eu contar.

— Esse cara. Ele... ele costumava me torturar quando estávamos no sétimo ano. Ele basicamente fez todo mundo na classe me odiar. Foi por causa dele que minha família se mudou daqui. De qualquer forma, eu o vi hoje, pela primeira vez em quatro anos, e ele nem me reconheceu. Depois de tudo que fez. — Parte do meu cabelo cai sobre o rosto. Eu o empurro para trás da orelha.

— Que idade você tem? — pergunta Lillia, mais calma e delicada agora.

— Dezessete.

— E você é daqui da ilha? Qual ginásio você frequentou? — pergunta Kat.

— Eu sou daqui, mas fui estudar no Belle Harbor Montessori,

no continente. — Eu costumava tomar a balsa todo dia para ir e voltar da escola. Eu e ele.

Kat balança a cabeça e diz:

— Reeve.

Meus olhos se abrem. Estou nervosa por ela ter descoberto tão depressa, mas de uma forma estranha também me sinto reconfortada.

— Como você descobriu?

— Quem mais poderia ser? — diz Kat, segurando a porta do cubículo aberta para mim. — Nós nos conhecemos faz tempo.

Desço da privada. Lillia vai até a pia e molha um papel toalha.

— Não estou surpresa. Reeve é basicamente um Neandertal — diz ela, passando o papel no suéter manchado. — Ele arruinou meu suéter.

— Pensei que vocês fossem amigos — digo-lhe, sem entender. — Vi vocês juntos esta manhã.

Lillia suspira.

— Não somos amigos, mas não somos *não* amigos.

Kat gira os olhos para cima.

— Ótima resposta, Lillia.

— Por favor, não diga a ele que me viu — apresso-me em dizer. — A última coisa que eu quero é que Reeve fique sabendo que continuo chorando por causa dele.

O sinal toca, e Lillia pega um protetor labial de cereja no bolso detrás do short e o aplica no lábio inferior. Ela comprime os lábios um contra o outro e emite um estalido.

— Não se preocupe. Eu já esqueci seu nome. — Ela olha para Kat e diz: — Preciso ir — e sai do banheiro.

Kat a olha sair e, quando a porta se fecha, ela pergunta em voz baixa:

— Então Lillia *estava* chorando, certo?

Olho para minhas sandálias. Isso é particular. Eu nem devia estar aqui.

— Você a ouviu dizer alguma coisa? O que a estava incomodando?

— Não. Nada.

Kat suspira, desapontada.

— Onde você devia estar neste momento, Mary?

— Eu não tenho ideia.

— Onde está seu quadro de horários?

Procuro na bolsa, mas não consigo encontrar.

— Hum, acho que tenho química agora.

Ela afasta os cachos dos olhos e se vira para mim.

— Espere, você já é uma veterana? Por que ainda não fez química?

Umedeço os lábios.

— Fiquei muito doente no final do sétimo ano, por isso estou um ano atrasada.

— Que droga. Bem, o departamento de ciências fica na ala leste do prédio. Você vai ter de correr para chegar a tempo. — Ela faz uma pausa. — Escute, não deixe aquele idiota do Reeve atingir você. O carma não falha. Ele vai ter o que merece.

— Eu não sei — digo. — Quer dizer, eu queria poder acreditar nisso. Mas Reeve parece estar bem. Sou eu quem estou me escondendo no banheiro a manhã inteira.

— Ele não vale a pena — diz ela. — Nenhuma dessas pessoas vale. Acredite em mim.

— Obrigada, Kat — respondo, sentindo-me realmente grata. Ela é a primeira pessoa a falar francamente comigo hoje.

Sigo Kat para fora do banheiro. Ela vira para a esquerda e segue pelo corredor. Eu a observo enquanto se afasta, mas discretamente, para o caso de ela olhar para trás.

Ela não olha.

Capítulo 6

LILLIA

Todas as meninas que querem entrar para a equipe estão sentadas na arquibancada do campo de futebol americano de shorts curtos e top. Nadia está na primeira fila com duas amigas. Sorrio para ela, e ela me devolve um sorrisinho rápido. Estou aliviada por ela não estar mais chateada com o comentário que fiz sobre seu giro para trás.

Rennie está com a treinadora Christy diante das meninas, enquanto Ashlin e eu ficamos sentadas nas laterais. Usamos nossos uniformes, como modelos. Rennie também. Camiseta sem manga com um J costurado na frente, saia plissada com short por baixo e meias soquete com bolinhas coloridas nos calcanhares. Tenho de admitir que é bom estar vestindo meu uniforme outra vez.

Quando a treinadora Christy corre de volta para o escritório do ginásio para fazer cópias da ficha de autorização, Rennie entra em ação. Passando os olhos pelos bancos da arquibancada, ela diz em voz baixa:

— Muito bem, aqui está a verdade. Se querem ser animadoras de torcida do time da Ilha Jar, vocês têm de agir de acordo *o tempo todo*. Não vão representar apenas a si mesmas, vão me representar também. Esta é a minha equipe. E eu mantenho um padrão muito alto. — Ela faz uma pausa para reforçar o ponto. — Cruzem os dedos! Vamos ter uniformes novos este ano, e eles vão ser demais. Isso quer dizer que não quero ver batatas fritas no prato de ninguém no almoço. E também, Dori — Dori ergue os olhos, assustada. — Você precisa aposentar essa jaqueta. Ela faz você parecer uma das mães das meninas do futebol.

Solto uma exclamação, e Ashlin dá uma risadinha e cobre a boca com a mão.

As meninas cochicham entre si, nervosas. Rennie olha por cima do ombro para ter certeza de que a treinadora Christy não está voltando e dispara:

— Eu disse que tinha terminado?

Todo mundo fica imóvel.

— Não podemos ter nenhum elo fraco. Isso quer dizer que, se sua amiga estiver ficando para trás, você tem de avisá-la. Tipo, só como exemplo, Melanie, você precisa gravar estas palavras na memória: "limpar", "tonificar", "hidratar". — Os olhos de Melanie se enchem de lágrimas, mas ela concorda rapidamente.

Eu honestamente não posso acreditar no que estou ouvindo. Quer dizer, tudo bem, Melanie tem pele ruim, mas Rennie precisava chamar a atenção para isso na frente de todo mundo? Olho para Ashlin, esperando encontrar solidariedade, mas ela dá de ombros e sussurra:

— Esqueça os três passos. Mande a garota a um dermatologista.

Rennie aponta um dedo para Nadia.

— Quero que todo mundo dê uma olhada nas pernas de Nadia. É esse o nível de bronzeado que vocês precisam ter. Se não conseguirem, procurem Becky na Mystic Beach, da Sandtrap Street. Ela vai dar um jeito.

Minha irmã ruboriza de orgulho e abaixa a cabeça humildemente.

— E não estou falando só das novatas. — Vejo Rennie olhar para as segundanistas e as terceiranistas, que também estão aqui. Sei exatamente quem ela está procurando, Teresa Cruz. — Não fiquem confortáveis demais só porque estão um ano adiante. Toda garota tem de merecer seu lugar aqui. Não vou hesitar em cortar qualquer peso morto pelo bem da equipe.

Vejo a treinadora Christy sair pelas portas de metal, então limpo a garganta e faço um sinal para Rennie terminar.

Por fim, ela sorri.

— Última chance, meninas. Se acharem que não vão conseguir, não deixem a porta pegar vocês quando saírem.

Ninguém se mexeu.

No vestiário somos só Rennie e eu tirando nossos uniformes. Ashlin e a treinadora Christy estão fazendo as outras meninas correrem em torno do campo.

Estou puxando o suéter por cima da cabeça quando digo:

— Então vamos direto à casa de Alex agora, certo? Ele estava bem bravo hoje no almoço.

— Por quê?

— Por nós duas termos saído da festa. — Quando menciono a festa, o rosto de Rennie fica impassível. — Eu disse a ele que iríamos depois do treino recolher a decoração e dar um jeito na casa da piscina.

— Reeve vai estar lá?

— Espero que não — digo num tom amargo e me curvo para tirar os tênis.

— Sabe como Reeve ficou o almoço todo falando sobre quem ia ser a animadora de torcida dele? — Não respondi, e ela continuou. — Acho que foi o jeito dele de pedir que eu seja. Quer dizer, faz sentido, não é? Capitã com capitão.

Prendo meu cabelo num rabo de cavalo.

— Mas ele não ficou com Teresa Cruz o verão inteiro?

Rennie riu secamente.

— Bom, sim, eles ficaram, tipo, duas vezes. Além do mais, você viu as coxas dela? Ela mal consegue cruzar as pernas, quanto mais fazer um *spacatto*. Você acha que Reeve ia querer que ela representasse o número dele?

— Eu não sei. — Aperto o elástico do rabo de cavalo.

— Você não sabe?

— Acho Teresa bonita. — Rennie me olha como se eu estivesse louca, mas a ignoro. — Então você vai comigo, certo?

Rennie vira os olhos para cima.

— Lindy tem uma criada. Ele não precisa de nós.

— Você não devia dizer "criada"...

— Por favor, não quero uma aula sobre a terminologia dos ricos! — brada, voltando a vestir o top.

Meu coração está acelerado quando tiro as meias e calço as sapatilhas. Rennie nem me olha enquanto recolhe o resto de suas coisas.

— Ren, eu sei que você ainda está incomodada com o que aconteceu com Kat de manhã...

Nem consigo terminar a frase. Rennie fixa um olhar mortal em mim.

— Eu não dou a mínima para aquele ser esquisito. — Ela sai do vestiário sem nem se despedir.

Quando chego ao estacionamento, o Jeep dela não está mais lá. Termino pegando uma carona com Ashlin para ir até a casa de Alex.

Ash me deixa em frente à casa de Alex. Solto um imenso suspiro de alívio porque o carro da Sra. Lind não está na entrada. Estava torcendo para ela não estar em casa, porque poderia ter ficado brava comigo também.

Solto o cinto de segurança.

— Obrigada pela carona, Ash.

— Tudo certo, Lils. Só lamento não poder ajudá-la com a limpeza. — Ela faz uma expressão triste. — Prometi a minha mãe que iria com ela ao cabeleireiro. Da última vez, eles a deixaram parecendo uma velha.

— Tudo bem — respondo. Não contei a ela sobre Rennie e a discussão que tivemos. Isso é entre nós duas.

Desço do carro e aceno quando Ashley parte. Em vez de entrar pela porta da frente, vou direto para o quintal. Alex está limpando a superfície da piscina com uma peneira, tentando capturar um copo descartável vermelho.

— Oi! — digo.

Ele ergue os olhos, surpreso.

— Onde está Rennie?

Normalmente eu daria uma desculpa por ela, mas hoje só dou de ombros.

Começo a recolher as tochas e as lanternas de papel em forma de bolas de praia que espalhamos pelo quintal. Não terei como carregar tudo isso até minha casa. Se Alex quiser que seja tudo tirado daqui, terá de me dar uma carona. Mas ele ainda parece bastante bravo comigo.

— Você experimentou um dos meus cupcakes? — pergunto.

— Sim. — Alex senta numa das espreguiçadeiras, mexendo no celular.

— E estava bom?

— Estava OK.

— Você pegou um com um peixinho dentro? Eu coloquei peixinhos de plástico em alguns deles.

Ele finalmente olha para mim.

— Eu comi três, e acho que um tinha um peixe.

A raiva dele está passando, graças a Deus. Ofereço-lhe um breve sorriso.

— Legal. Hum, estou com um pouco de sede. Posso tomar um refrigerante?

Ele indica a casa da piscina com a cabeça.

— Você sabe onde estão.

Ai. Mas tudo bem. Então talvez eu tenha de andar até em casa carregando essas coisas todas.

A casa da piscina é basicamente o apartamento de Alex, completo, com uma sala, cozinha e um quarto imenso. Ele o decorou no estilo dos solteiros, com tema de James Bond. Sofá de couro preto, uma televisão imensa de tela plana montada na parede, uma máquina de Coca-Cola ao lado do bar. E ele tem um armário com salgadinhos que a mãe mantém abastecido com biscoitos e batatinha e tudo mais que se possa imaginar.

A porta do quarto está aberta, e vejo uma das nossas palmeiras de plástico já murcha pendurada no encosto da cadeira. O quarto dele geralmente se mantém limpo, mas hoje está uma tremenda bagunça, ao menos para os padrões de Alex. A cama não foi feita e há roupas no chão.

Entro para pegar a palmeira e paro. Tem algumas roupas amassadas sobre a cama. Um top verde no alto da pilha. Eu me curvo e o pego.

É da minha irmã. Aquele que ela vestiu na noite da festa, parte da fantasia de peixe. Sei disso porque tenho um igual, da mesma marca, só que um número maior. Tem uma mancha seca cor-de-rosa na frente, daiquiri de morango. Cheiro a mancha. Rum.

Volto para fora levando o top. Os olhos de Alex se alargam quando o vê.

— Por que você está com o top de Nadia? — pergunto.

— Ah… alguém derramou algo nela. Eu emprestei uma das minhas camisas para ela ir para casa.

Subitamente fica difícil respirar.

— Nadia estava bebendo? — Eu lhe disse para não beber. Eu a proibi. — Ela não fez nada estúpido, fez?

— Como o quê? Como sair com um cara qualquer?

Ele balança a cabeça.

— Não, ela não fez nada assim.

Posso sentir o sangue sumir do rosto. Ele está falando de Nadia… ou de mim?

Alex se afasta e começa a colocar os itens de decoração na traseira da SUV dele. Pego tantas tochas quanto consigo carregar e vou atrás dele. Ele não diz nada, nem eu.

Capítulo 7

MARY

Estou sentada na cama, olhando para um velho álbum de fotografias que encontrei no porão. Vou envelhecendo à medida que viro as páginas. Posando diante de um forte feito de cobertores com uma lanterna acesa sob meu queixo. No balanço feito de pneu pendurado na árvore do quintal, meu cabelo quase branco por causa do sol. Eu e meu pai com montes de algas marinhas sobre a cabeça. Praticando clarineta diante dos meus pais e de tia Bette na sala de jantar.

O álbum termina com uma foto minha em frente ao lilaseiro antes do meu primeiro dia de aula no sétimo ano. Estou na ponta dos pés, cheirando as flores.

Não é de admirar que Reeve não tenha me reconhecido essa manhã. Tem só um modo de dizer isso: eu era gorda.

•••

Todos estavam falando sobre o novo aluno bolsista. O Belle Harbor Montessori no continente era muito pequeno. Havia apenas 20 alunos na nossa turma do sétimo ano, e eu era a única da Ilha Jar. Durante o almoço alguns dos garotos estavam debatendo quão inteligente era preciso ser para conseguir uma bolsa de estudos, quando Reeve entrou.

Todos o viram passar pela fila da comida. Minha amiga Anne se inclinou e disse:

— Ele é bem bonito, você não acha?

— Ele não é nada mal — sussurrei de volta.

Reeve era claramente mais alto que todos os outros na sala. Mas não era esguio, era musculoso... podia se dizer que ele com certeza praticava esportes na sua antiga escola. Não tínhamos esportes na Montessori. Não tínhamos nem recreação, a menos que se contassem as caminhadas pelo mato.

Nossa professora acenou para ele e mostrou onde nossa turma estava sentada.

— Ei — disse ele, num tom entediado, e se deixou cair numa cadeira vazia. — Eu sou Reeve.

Alguns dos garotos murmuraram um "ei" em resposta, mas a maioria não disse nada. Acho que nenhum de nós gostávamos de seu ar *blasé*. Ele não queria estar na nossa escola e provavelmente tinha muitos amigos na escola de onde viera.

Senti-me mal por ele. Reeve mal provou o sanduíche, calado. Deve ser difícil mudar para uma escola nova. Aquela era a única escola que eu conhecia. Eu frequentava a Belle Harbor Montessori desde o jardim de infância.

Quando o almoço terminou e todos levantaram, vi Reeve olhando em volta, sem saber onde colocar a bandeja. Inclinei-me para pegá-la e colocá-la no lugar. Não sei por quê. Acho que só para ser legal. Mas ele a tomou depressa antes de mim e disse num tom muito alto:

— Você não acha que já comeu o bastante?

Os garotos em volta começaram a rir. Acho que ri também, só pela surpresa da situação. Anne torceu o nariz. Não por simpatia. Foi um gesto banal de desagrado. E não foi para Reeve. Foi para mim.

Reeve foi quem mais riu. Foi o primeiro a deixar a mesa, e todos o seguiram, apesar de ele não ter como saber onde era a nossa sala. Ele deixou a bandeja na mesa.

Acabei jogando fora o lanche dele junto com o meu.

Antes de Reeve, eu era uma das meninas inteligentes, especialmente em matemática. Eu era a tímida, mas amistosa. Um pouco desajeitada no trato social, sem dúvida. A menina de cabelo loiro comprido da ilha. Mas, depois de Reeve, passei a ser a gorda.

Fechei o álbum. Não sou mais aquela menina. E isso já faz muito tempo. No entanto, voltar para a Ilha Jar, com Reeve, com minhas velhas fotos e bichinhos de pelúcia e tudo o mais; isso faz tudo parecer muito recente.

Ouço tia Bette lá embaixo, lavando a louça em silêncio.

Nosso jantar esta noite foi estranho, para dizer o mínimo. Essa manhã me imaginei contando a tia Bette cada detalhe do meu épico primeiro dia, a expressão no rosto de Reeve quando me visse novamente, sua tentativa de falar comigo e descobrir onde estive nos últimos quatro anos. Ela me deixaria tomar uma taça de vinho e faríamos um brinde ao início de um grande ano letivo.

Já que nada disso aconteceu, não havia nada para contar a tia Bette. Nem preciso dizer que eu não estava com fome. Teria sido rude levantar da mesa, por isso fiquei ali sentada em silêncio enquanto ela enrolava espaguete no garfo e lia alguma revista de arte.

Eu me sinto vazia. Oca. Preciso falar com minha mãe e meu pai, ouvir a voz deles. Eles provavelmente me dirão para voltar para casa, e posso deixar-me convencer.

Passo os cinco minutos seguintes andando pelo quarto com o braço erguido, tentando conseguir barras suficientes no celular para telefonar para eles. Não consigo sinal. Quando vivíamos aqui antes, o serviço de celular praticamente inexistia na Ilha Jar. Havia uns poucos locais aleatórios onde era possível conseguir sinal, perto dos faróis ou às vezes no estacionamento da igreja luterana, mas a maior parte da Ilha Jar era área livre de celular. Acho que isso não mudou.

Há um telefone lá embaixo na cozinha, mas não quero falar com meus pais na frente de tia Bette. Eu poderia começar a chorar.

Ouço tia Bette subir a escada. Olho pela fresta da porta e a vejo passar e ir para seu quarto.

Acho que poderia tentar falar com ela. Eu costumava confidenciar-lhe todo tipo de coisa. Sempre que ela nos visitava no verão, descíamos a colina para comprar chocolate na Avenida Central. Até em agosto. Ela me contava coisas que meus pais ficariam bravos se soubessem. O mês que ela passou morando em Paris com um homem casado, a série de pinturas que fez de si mesma nua. Tia Bette viveu um milhão de vidas. Ela poderia ter um bom conselho para me dar.

Tia Bette já está na cama. Os olhos estão fechados. Mas acho que me ouviu, porque eles se abrem subitamente.

— Mary?

Entro no quarto e me ajoelho junto à cama.

— Você está dormindo?

Ela faz que não com a cabeça e pisca.

— Acho que não. Estou?

Apesar de estar a ponto de chorar, dou risada.

— Estou incomodando você?

— Não! Por favor! — Ela se senta. — Você está bem?

Respiro fundo e tento me conter.

— É estranho estar de volta.

— Sim. É... é claro que é.

— Não sei se consigo me encaixar, depois de tudo que aconteceu.

— Esta é a sua casa. Onde mais poderia ser seu lugar? — diz, em voz baixa.

— Em lugar nenhum, eu acho.

— Senti sua falta, Mary. — Um pequeno sorriso surge em seu rosto. — Estou feliz por você estar aqui.

— Eu também — digo, mentindo. Então volto para meu quarto e vou para a cama.

Leva muito tempo até eu conseguir dormir.

Capítulo 8

LILLIA

MINHA MÃE ESTÁ EM SEU QUARTO FALANDO AO TELEFONE COM MEU PAI. Nadia e eu vemos televisão aqui embaixo e dividimos um pote de sorvete caseiro de doce de leite da Scoops. A princípio, quando perguntei se queria um pouco, ela disse não, apesar de esse ser seu sorvete predileto. Eu sabia que ela estava pensando no que Rennie havia dito no treino das animadoras de torcida. Levei o pote para o sofá, e ela ficou me olhando lamber a tampa do pote.

— Só uma colherada, está bem? — disse ela, justo como imaginei que faria. Todas as garotas da nossa família adoram doce.

A secadora emite um bipe, e eu pauso a imagem na televisão. Vou até a lavanderia, coloco as roupas secas numa cesta e as levo para a sala. Aumentei o tempo da secadora, e por isso a roupa ainda está quentinha. Encosto uma camiseta no rosto e sinto seu calor. Começo a dobrar uma pilha de camisetas e então vejo o top de Nadia. Eu coloquei removedor sobre a mancha de daiquiri de morango, e ela desapareceu. Nem me dei ao trabalho de tentar tirar a mancha do meu suéter de caxemira. Só o coloquei no saco de roupa suja e torço pelo melhor.

— Aqui está seu top de volta — digo, entregando-o a ela.

Nadia fica pálida. — Hum, obrigada.

— Eu tirei a mancha — digo e a observo atentamente. — Alex disse que alguém trombou em você e derrubou a bebida.

— É. — Nadia pega uma grande porção do sorvete, evitando meus olhos.

— Onde está a camisa de Alex? Procurei no seu quarto para lavar e devolver a ele.

Ela hesita.

— Está na Janelle. Lembra que eu ia dormir lá depois da festa? Eu disse para levá-la à escola hoje, mas ela se esqueceu.

Meu celular toca. É Ashlin. Todos vão se encontrar esta noite no Bow Tie depois que Rennie sair do trabalho.

— Quem era? — pergunta Nadia. — Você vai sair?

Desligo o telefone, porque isso é um assunto sério.

— Nadia, diga agora mesmo. Você bebeu na festa de Alex, mesmo eu tendo lhe dito para não beber?

— Não! — Ela está com duas manchas vermelhas nas faces.

— Então jure. Jure pela nossa ligação de irmãs.

Nadia não olha para mim.

— Lillia, pare com isso. Eu já disse que não bebi.

Meu coração se quebra ao meio. Ela não quer jurar porque está mentindo. Ela está mentindo para mim como se isso não fosse nada. Nunca menti para Nadia. Nunca, nem uma vez sequer. Eu nunca faria isso com ela.

— Eu vou lhe dar mais uma chance. Você vai me dizer a verdade agora mesmo, Nadia, ou eu vou contar tudo para a mamãe.

Os olhos de Nadia se abrem muito, cheios de medo.

— Está bem! Espere! Eu tomei, sei lá, tipo meio copo de daiquiri de morango. Eu não quis beber. Uma das minhas amigas me deu. Eu achei que era sem álcool. Tomei dois golinhos, para não jogar fora. Não é nada demais. Você bebia nas festas quando estava no primeiro ano!

Está bem. Sim, mas foi no *final* do meu primeiro ano. Quando Rennie e eu começamos a ir a festas, ela bebia cerveja, bebia tudo que tivesse à frente. Os rapazes a chamavam de Meio Litro, porque ela era muito pequena, mas aguentava bem. Ao contrário de mim, eu tinha tanto medo de me meter em confusão que ficava com um mesmo copo de cerveja a noite toda.

— Pare de tentar justificar isso! Você mentiu. Mentiu para mim, Nadia. — Encosto-me no sofá. Não podia acreditar que ela mentira para mim. — Você está de castigo agora. Nada de festas, nem ficar com meus amigos, porque você obviamente não sabe se controlar. E se eu ficar sabendo que você bebeu mais do que me disse, estamos acabadas.

— Eu lamento, lamento muito.

Não é nem sobre ela ter bebido.

— Eu pensei que você jamais mentiria para mim.

Uma grande lágrima escorre-lhe do rosto.

— Eu não vou beber nunca mais, Lilli! Você tem de acreditar em mim.

— Como vou poder acreditar em qualquer coisa que você me disser daqui para a frente? — Levanto. Sinto que estou a ponto de começar a chorar. Saio da sala e subo para o meu quarto.

Eu não devia ter saído da festa. Isso é culpa tanto minha quanto de Nadia. Talvez seja mais minha. Eu sou sua irmã mais velha. É meu trabalho cuidar dela, mantê-la em segurança.

Quando chegamos à outra festa, havia milhares de pessoas lá. Ninguém que conhecêssemos, na maioria era gente de fora da cidade. Gente de faculdade. Não havia um tema nem nada assim. Só um grupo de pessoas reunidas, escutando música.

Os rapazes vieram e nos encontraram na mesma hora. Ficamos orgulhosas do modo como eles estavam esperando por nós, como nos davam tanta atenção. De início, fiquei olhando meu celular para ver as horas. Não queria ficar lá mais que aquela uma hora que Rennie prometera que seria.

Eles perguntaram o que queríamos beber, e Rennie disse para misturarem vodca com suco de mirtilo e uma colher de açúcar, porque ela sabia que eu só beberia se fosse superdoce. Toda vez que nossos copos ficavam vazios, eles logo os enchiam novamente. Estávamos nos divertindo, os quatro, e eu parei de olhar o celular e de pensar na outra festa de onde havíamos saído para ir para lá. Lembro-me de rir de tudo que o cara que estava comigo, o mais alto, dizia, mesmo quando não era nada assim tão engraçado. Acho que isso mostra quão bêbada eu estava.

Mike. Esse era o nome dele.

Por volta das 11 horas bato na porta do quarto de Nadia. Ela não responde, mas posso ouvir sua televisão. Falo através da porta fechada.

— Eu estou tentando cuidar de você, Nadia. É meu trabalho.

Espero alguns segundos pela resposta dela. Sempre que Nadia fica brava, ela fica emburrada, e não é fácil reconquistá-la.

Odeio quando ela fica brava comigo. Odeio isso mais que qualquer outra coisa. Mas também tenho motivo para estar brava.

Encosto a cabeça na porta.

— Vamos juntas para a escola amanhã, está bem? Eu dirijo, só nós duas. Se sairmos mais cedo, podemos parar no Milky Morning e comer muffins de framboesa saídos do forno. Você adora.

Nadia não dá sinal de vida. Eu suspiro e volto para o meu quarto.

Capítulo 9

KAT

MEU PAI, PAT E EU ESTAMOS SENTADOS NA SALA COM NOSSAS TIGELAS de chili, assistindo a uma corrida de motocross. É o terceiro dia seguido de chili. Quando meu pai faz seu chili infernal, acabamos comendo só isso durante uma semana. Eu não aguento mais.

Levanto.

— Você lava os pratos hoje. Eu lavei ontem — diz Pat.

— Não houve pratos ontem. Usamos os potes descartáveis.

Ele olha de novo para a televisão e esfrega os pés nas costas de Shep.

— Sim, e eu tive de jogar tudo fora. Então hoje é oficialmente sua vez.

Mostro o dedo para ele, depois coloco meus pratos na pia e os deixo lá. Pat é um folgado. Ele está vivendo em casa desde que terminou o segundo grau, há dois anos. Faz algumas aulas na

Faculdade Pública[4], mas na maior parte do tempo fica sem fazer nada.

No meu quarto, dou uma olhada no celular. Nenhuma chamada perdida, nem mensagens de Alex. Nada. Na verdade, eu queria falar com ele, sobre como sua amiga Rennie é desalmada, como ela mereceu aquela cusparada. Mas não serei eu quem vai ligar, não quando ele disse que ligaria.

Em vez disso, ligo para Kim na loja de discos. Quando ela atende eu mal consigo ouvir por causa do barulho.

— O que está acontecendo aí? — pergunto.

— Uma festa de alguma gravadora independente para uma porcaria de banda.

— Posso ir? Eu tive um dia terrível. Eu odeio minha escola, odeio Rennie Holtz e...

— Está bem, está bem — diz ela. Então pego minha sacola para a noite e começo a jogar coisas dentro dela. Quem se importa se é dia de semana? Posso pegar a primeira balsa pela manhã. Ou faltar. Estou a ponto de agradecer-lhe, mas Kim cobre o fone com a mão e diz: — Há outra garrafa de uísque no porão. Vá lá e pegue. — Então percebo que ela está falando com outra pessoa.

— Kim? Por favor? — Sei que estou implorando, mas não me importo, preciso sair desta ilha esta noite.

Ela suspira.

— Querida, não vou terminar aqui antes das duas da manhã. Ligue amanhã quando chegar da escola, está bem?

— Claro, tudo bem — digo. Quer dizer, Kim está ocupada. Eu entendi. Sei que ela tem 23 anos e nem quer mais saber desses

[4] Community Colleges são faculdades pouco prestigiadas, que não são muito rigorosas na seleção dos alunos e oferecem cursos de dois anos. (N.T.)

dramas de secundarista. Mas preciso mesmo dela. Eu preciso de alguém.

Quando paro e me permito pensar no que houve hoje, mal consigo lidar com isso. Eu cuspi no rosto de Rennie. E essa é provavelmente a coisa mais baixa que farei em toda minha vida. Deus, o que minha mãe diria? Meu pai sempre se preocupou com não estar me criando para ser feminina o bastante e que, lá no paraíso, minha mãe esteja desapontada. Ela era mesmo uma verdadeira dama, muito gentil. Deve achar que a filha é um lixo. As mentiras que Rennie andou espalhando sobre mim desde o primeiro ano, eu apenas provei que era tudo verdade.

Aposto que era exatamente isso que a bruxa queria. Cavar minha cova e me fazer entrar nela. Ela sabe como me enfurecer. Mas sabe de uma coisa? Eu também sei enfurecê-la. A coisa funciona nos dois sentidos. Por mais merda que Rennie tenha feito comigo, e não foi pouca, jamais desci ao nível dela. Por que não? Quem sabe? Estou percebendo agora que devia ter colocado Rennie no seu devido lugar faz muito tempo.

Decido andar um pouco e fumar para clarear a mente. Calço as botas e saio pela porta dos fundos. Não preciso de Pat reclamando comigo por causa dos pratos outra vez. Eu lavo tudo quando voltar. Se tiver vontade.

Está escuro lá fora, e a entrada está entulhada com as ferramentas de marcenaria do meu pai, lascas de madeira, pregos retorcidos, por isso carrego Shep no colo até chegarmos à calçada. Um casal rico, antes de deixarem a Ilha Jar no final do verão, encomendou uma das canoas feitas à mão do meu pai. Ela estará pronta quando eles voltarem no ano que vem.

Vou direto para o bosque atrás da minha casa. Trouxe Alex aqui várias vezes neste verão. Há uma clareira do outro lado, onde dá para estacionar o carro e ficar olhando o oceano. É ermo, ninguém sabe sobre esse lugar. Um local secreto. Ficávamos ali no carro, ouvindo música, ou olhando a lua. Nós apenas gostávamos de ficar juntos. Eu gostava de poder ser eu mesma com ele. E acho que ele sentia o mesmo.

Caminho, deixando Shep cheirar tudo que quiser, enquanto fumo um cigarro. Quando ele já queimou quase todo, jogo-o no chão e amasso com a bota até a guimba estar misturada com as folhas de pinheiro e areia.

Quando ergo os olhos, eu a vejo, a SUV de Alex, estacionada na clareira. Com outra garota dentro.

Recuo até encostar numa árvore, então me escondo atrás dela. Quem é a garota? É a mesma da festa, a que estava na cama com ele?

Estreito os olhos. A garota é pequena. Cabelo escuro.

Ó meu Deus. É Nadia Cho. Eu ensinei aquela menina a amarrar os sapatos. É a primeira coisa em que penso.

E meu segundo pensamento é *Alex Lind está me enganando? Com uma menina do primeiro ano?* Não posso acreditar. É evidente que ele não tem ideia de com quem está mexendo.

Recuo, o coração em disparada. Pego o celular. Tem uma barra. Qual era o número dela? Devo ter discado esse número um milhão de vezes. Três, cinco, alguma coisa. Olho para as teclas, esperando que o número apareça em minha mente. Três, cinco… quatro, sete.

Ela atende depois de quatro toques.

— Alô?

Mantenho a voz baixa e os olhos na SUV.

— Só para você saber, sua irmã está no carro de Alex Lind neste instante. No bosque! — Vamos ver qual será a velocidade de Alex quando Lillia estiver correndo atrás dele, pronta para arrancar-lhe as bolas com uma lixa de unha.

O telefone fica em silêncio por um segundo.

— Quem está falando? — diz Lillia.

— É Kat. Você me ouviu? Eu disse que estou a quinze metros de sua irmã e de Alex!

— Kat, minha irmã está em casa.

Estreito os olhos para tentar ver melhor. Está difícil de ver, mas juro por Deus que é Nadia na SUV.

— Não estou brincando, Lillia. Eles estão bem aqui na minha frente. Eu normalmente não daria a mínima, mas é que eu e Alex estamos juntos. Mais ou menos.

— Minha irmã está sentada no sofá ao meu lado. Não sei o que você está tentando fazer, mas, seja o que for, esqueça. E, por favor, não me ligue outra vez.

Eu abro a boca para dizer que a irmãzinha dela e Alex estavam juntos na cama faz duas noites, mas escuto a ligação cair. Olho novamente. Não posso dizer com absoluta certeza que seja Nadia. Quer dizer, pensei que fosse, mas a questão é que Lillia não mente. Lillia Cho pode ter muitos defeitos, mas, durante os anos em que a conheci, ela jamais mentiu. Então acho que não é Nadia. Acho que é alguma outra garota de cabelo escuro na SUV de Alex. Outra garota que não sou eu.

Estou no velho VW Rabbit conversível do meu pai, todas as janelas abaixadas, a música tocando tão alto que não consigo ouvir meus próprios pensamentos, que é exatamente a ideia.

Dou uma volta pela ilha, passando pelo farol na encosta, pelo grande cemitério da ilha com suas velhas e assustadoras intrigas familiares, pelo aeroporto de uma pista, depois pela marina até estar novamente no farol. Não há mais lugar algum para onde ir. A última balsa partiu do cais faz horas. Senão, eu apenas apareceria no apartamento de Kim, tendo ela me convidado ou não. Mas estou presa nesta maldita ilha, então apenas dirijo passando pelos mesmos lugares de novo e de novo.

Por que estou surpresa? Seja quem for essa garota, ela certamente não vai cuspir no rosto de ninguém, não vai ter uma porcaria de emprego que a deixa cheirando a peixe para economizar para a faculdade, ninguém vai lhe dizer que ela ou sua família são miseráveis. Pensei que podia ter mudado a impressão de Alex sobre mim neste verão. Erro meu ter pensado assim. Ele não mudou. Ele é tão ruim quanto o resto de sua turma. Ele acredita nas mentiras de Rennie, como todo mundo neste lugar idiota.

Olho novamente para o relógio e já passa da meia-noite, e só tenho um quarto de tanque restando. Meu pai vai me matar se eu devolver o carro na reserva novamente. Há uns poucos postos de gasolina na ilha, e sigo direto para o mais barateiro, perto do Bow Tie, aquela porcaria de restaurante italiano em Canobie Bluffs que cobra os olhos da cara, mas que os turistas adoram.

Estou colocando gasolina, então olho do outro lado do estacionamento e os vejo, Reeve, Rennie, PJ e aquela cabeça vazia da Ashley. Lillia não está lá. Acho que ela estava dizendo a verdade. Ela realmente está em casa com Nadia. De qualquer forma, eles estão lá perto das lixeiras, Rennie sentada no capô da perua de Reeve, e estão passando uma garrafa de vinho de mão em mão.

Alex me falou sobre isso. Rennie trabalha no Bow Tie como recepcionista e paquera os barmen para que lhe deem bebida de graça. Ela leva as garrafas para fora junto com o lixo e, depois que o restaurante fecha e todo mundo vai para casa, volta com seus amigos idiotas, e eles bebem a noite toda.

Eu devia chamar a polícia. Eu devia, mas não vou. Não sou assim.

Mas com alguma sorte outra pessoa chamará, porque eles estão fazendo muito barulho. De onde estou, dá para ouvir cada palavra.

Dois faróis aparecem na rua. Reeve tira Rennie do capô, e eles se escondem atrás do carro, mas então PJ grita.

— Alex! — E o grupo todo corre até a rua e para junto da SUV.

— Nadi! — grita Rennie, e corre até a janela do passageiro. — Você não devia estar na cama?

Eu sabia. Era Nadia!

Todos conversam por uns segundos antes de Alex começar a buzinar para os amigos saírem do caminho. Acho que ele está com pressa para levar Nadia de volta para casa. Já passa da meia-noite num dia de semana, e a Sra. Cho mataria Nadia se a pegasse fora de casa. A Sra. Cho é muito legal, mas é também muito rígida. Uma vez, quando eu e Rennie estávamos lá nadando, ela mandou Lillia para o quarto por uma hora porque achou que a filha a desrespeitara.

Quando Alex se afasta, Rennie me vê olhando e aponta para mim.

— Ah, lamento, Kat, mas acho que esse posto não aceita tíquetes! — grita ela.

Eu finjo não ter ouvido. Não aguento ter de lidar com ela duas vezes no mesmo dia.

Reeve se empolga.

— Puxa vida, Kat! Você não vai deixar Rennie falar assim, não é? Vamos lá! Você é durona! — diz ele, rindo. — Eu não mexeria com você.

A gasolina começa a vazar do tanque, e recoloco a mangueira no lugar. Minha mão está tremendo. Rennie pensa que só porque ela vai para São Bartolomeu, ou seja lá aonde for com a família de Lillia nas férias, está no nível deles. Mas não está. Ela mora num apartamentinho de dois quartos com a mãe divorciada, que trabalha no Bow Tie porque precisa. O Jeep que Rennie dirige foi praticamente um presente do amante casado de sua mãe. Rennie pode fingir, mas nós duas sabemos a verdade. Eu sou pobre, mas ela também é.

Estou de volta ao meu quarto quando toca o bip de mensagem do celular. É Alex.

Vc tá acordada? Estou por perto se quiser conversar.

Jogo o celular do outro lado do quarto. Aquele idiota. Como se eu fosse querer voltar a falar com ele algum dia. Ele não merece ser meu amigo e definitivamente não merece ficar comigo. Ele anda com aqueles imbecis da Rennie e do Reeve. Acha que é uma pessoa de qualidade, mas, no que me diz respeito, isso só o torna tão ruim quanto os outros. Eles me fazem ter vontade de vomitar, cada um deles. Poderiam cometer um assassinato e escapar impunes nesta ilha. Fazem o que querem e ferram a tudo e a todos.

Hoje falei para aquela garota no banheiro que Reeve ia ter o que merecia, que o carma não falha. Eu estava falando sério naquela hora, mas agora não tenho tanta certeza. Quando foi que Rennie pagou por tudo de ruim que fez comigo? Nunca. Estou cansada de esperar pelo carma. O carma que se dane.

Capítulo 10

MARY

ESTOU NA AULA DE QUÍMICA, E MINHA CABEÇA GIRA POR CAUSA DO ESFORÇO para entender o que o Sr. Harris colocou na lousa. Ele escreveu um monte de números e letras, tentando explicar o processo de notação científica. Pelo que entendi é uma forma mais simples de lidar com números infinitos. Só que eu estou infinitamente perdida. Pensei que estava numa aula de ciências, e não de matemática.

Mas o resto do pessoal na classe parece não ter problemas para acompanhar o que o Sr. Harris está dizendo. Eles assentem e escrevem em seus cadernos. Tem sido assim o dia todo, em todas as aulas, menos na ginástica. Parece que o pessoal do segundo ano da Ilha Jar sabe mais que eu, e, tecnicamente, eu devia ser uma formanda. Sempre tive notas altas na minha escola antiga. Então minha vida foi toda bagunçada e, desde a coisa com Reeve, fui ficando sempre para trás. E, se a escola decidir me atrasar um ano? Vou ser uma segundanista com 18 anos? Não. Isso não pode acontecer.

Quero apoiar a cabeça na mesa e nunca mais acordar. Olho para o cara ao meu lado. Toda vez que o Sr. Harris se vira para escrever na lousa, ele entalha alguma coisa na mesa com a ponta de uma chave. Chego mais perto para ver. O entalhe diz FODA-SE.

Depois do primeiro dia de Reeve na minha escola, tentei ficar longe dele. O que não foi fácil, porque nós dois íamos e vínhamos juntos na balsa todos os dias. Reeve sentava lá embaixo com os outros passageiros, e eu ficava fora, no convés. Mesmo quando o tempo começou a ficar frio, eu viajava do lado de fora. Não era problema para mim. Gosto de sentar no convés, sempre gostei. Mas daí um dia quando estava chovendo, ele me viu indo para fora.

— Ei, Big Easy[5] — chamou-me. — Vem aqui um instante.

Big Easy foi o apelido que Reeve me deu depois de uma aula de Estudos Sociais sobre Nova Orleans e o Mardi Gras[6]. O apelido pegou muito depressa entre o pessoal da classe. A única pessoa que usava meu nome de verdade na Montessori era nossa professora. O resto me chamava de Big Easy.

Quem ia querer tomar o lanche com Big Easy? Ou ser dupla de ciências, ou ir dormir lá em casa? Ninguém. Eu também não ia querer ser minha amiga. Então como poderia condenar Anne por me abandonar? Eu não podia, mas ainda assim doía.

Lembro exatamente como a voz dele soou naquela manhã. Meio aborrecido. Imaginei se ele percebera que eu estava lá, se

[5] Big Easy (muito folgada, relaxada) é o apelido da cidade de Nova Orleans, no litoral sul do estado da Louisiana, no Golfo do México. Foi colonizada por franceses e é considerada o berço do jazz. É uma região muito quente e úmida. (N.T.)

[6] Mardi Gras (em francês, Terça-Feira Gorda) é uma festa tradicional de Nova Orleans equivalente ao nosso carnaval. Mas a música dominante é o jazz. (N.T.)

pensou em mim lá fora na chuva só para ficar longe dele. Se era por isso que me chamara. Porque se sentia mal.

Eu queria poder voltar no tempo e me empurrar por aquela porta para a chuva. Mas não. Eu fui até ele, como se Big Easy fosse meu nome.

— Oi, Reeve — disse eu, como se fôssemos amigos. E sorri também. Eu era carente. Eu era solitária.

Reeve olhou para mim lá de onde estava sentado. Depois de um ou dois segundos, ele disse, com a voz baixa:

— Dê um passo para a direita.

Fiz o que ele disse.

Reeve deslizou para fora do assento, e o assento se virou para cima, da mesma forma como fazem as poltronas de cinema. Daí ele se abaixou diante da cadeira, de costas para mim, e tirou algo do bolso.

— O que você está fazendo? — sussurrei.

Reeve não respondeu, mas vi os ombros dele começarem a mover-se para cima e para baixo. Ouvi som de raspar.

Olhei por cima do meu ombro. Atrás de mim a mulher velha que vendia doces estava lendo um jornal, esperando algum cliente. Acho que ela sentiu que eu estava olhando, porque ergueu o rosto e sorriu para mim. Forcei um sorriso e me virei, fingindo que olhava a tempestade pela janela.

Foi quando percebi. Reeve estava me usando para esconder-se.

Eu não queria problemas. Mas estava me sentindo… útil.

Quando ele terminou, voltou a sentar-se na cadeira. Ele abriu e fechou o canivete com uma mão.

— Roubei isso do meu irmão Luke — disse-me.

Eu não sabia o que fazer, se devia ir para fora, mas Reeve acrescentou com facilidade.

— Se você quiser, eu mostro para que serve cada uma das lâminas.

E ele mostrou, durante o resto da viagem.

Quando a balsa chegou perto do cais, Reeve pegou suas coisas e saiu para ir ao banheiro. Fiquei esperando ele voltar. Como não voltou, fui até a janela. Reeve já estava em terra, indo pela rua na direção da escola.

Não tive pressa, caminhei devagar, tomando cuidado para não me aproximar dele.

O sinal toca, e a sala vira uma balbúrdia no mesmo instante, como se a classe inteira estivesse segurando a respiração por 45 minutos, mas agora podiam falar uns com os outros. Todos se juntaram nos grupos de amigos e foram para o corredor, deixando-me para trás.

Não é que eu esperasse entrar na escola secundária da Ilha de Jar e tornar-me popular instantaneamente. Não tenho delírios nem nada assim. Na Montessori, eu não tinha um milhão de amigos. Mas havia muitos colegas que falavam comigo. Eu tinha um lugar onde me sentar no intervalo. Minha vida ia muito bem até Reeve aparecer.

Por que eu voltei? O que eu queria ali exatamente?

Levou um longo tempo para eu me recuperar, mas consegui. Fiquei melhor. Mas subitamente é como se os últimos quatro anos não tivessem acontecido, e estou sentindo todas as mesmas coisas terríveis em relação a mim mesma que sentia antes. Podia estar em casa agora, com minha mãe e meu pai. Em vez de estar aqui, rodeada de lembranças ruins e do garoto que tornou minha vida um inferno.

Então é isso.

Eu vou embora.

Assim que tomo a decisão, sinto-me muito mais leve. Pego minhas coisas. Caminho pelo corredor e vejo Reeve lá no final, tão convencido e posudo como sempre foi, indo para onde quisesse ir.

Perfeito.

Sei exatamente o que vou fazer. Ontem ele me pegou despreparada, mas hoje estou pronta. Vou chegar bem perto dele e dizer meu nome, *meu nome de verdade,* bem alto. Fazê-lo ver que não acabou comigo. Estou aqui. E depois vou jogar um beijo para ele e acabar com este capítulo da minha vida de uma vez por todas. Sem nenhum arrependimento. Esse não é um jeito bom de viver.

Minha adrenalina está fluindo quando acelero o passo e abro caminho entre as pessoas no corredor para ir até ele.

— Reeve! — grito para a escada.

Mas ele não se vira. E não tenho como chegar mais perto. Há tanta gente entre nós dois. Uma barreira de gente.

— Ei, Reeve! — chamo novamente, abrindo caminho à força. Ele continua não me ouvindo. — Reeve! — Eu inspiro profundamente. — REEVE!

Uma lufada de alguma coisa passa, vento talvez, e sua força faz todas as portas dos armários fecharem-se ao mesmo tempo. O som enche o corredor como um grande trovão metálico.

Reeve para e olha ao redor. Todo mundo faz o mesmo.

— O que é que foi isso? — alguém diz.

— Como eu vou saber?

— Uma tempestade?

— Cara, nós acabamos de sair do ginásio, está fazendo sol lá fora.

Tudo fica em silêncio por mais um segundo, daí toca o segundo sinal. Isso faz a vida voltar ao seu lugar. Todos voltam a cuidar da própria vida.

Giro e começo a andar na outra direção. *Eu tenho de sair daqui.* É só nisso que penso.

Capítulo 11

LILLIA

Estou vestida para ir à escola, deitada na cama por cima da coberta, os olhos bem abertos.

Não dormi esta noite. Como poderia, quando não sabia onde minha irmã estava? Mesmo depois que Alex a trouxe, depois de eu ouvir Nadia subir na ponta dos pés e da porta de seu quarto ranger ao abrir e de novo ao fechar, mesmo depois disso não consegui dormir.

Duvido que Rennie venha me buscar hoje. Não depois de como deixamos as coisas ontem. Espero até dez para as oito para então dizer a Nadia que vá para o meu carro, que vou levá-la para a escola.

Depois disso nenhuma de nós diz uma palavra.

No trajeto inteiro fico tentando encontrar uma forma de dar sentido a isso. O que eles poderiam estar fazendo juntos no meio da noite? Talvez ele quisesse a camisa de volta, e ele a levou até a casa de Janelle para pegar a camisa. Talvez eu tenha feito Nadia sentir-se tão culpada que ela quis pedir desculpas a ele por ter derramado daiquiri de morango por todo lado, porque pode ter caído no carpete dele ou algo assim. Ou talvez eles estejam planejando uma festa surpresa para o meu aniversário. No meio da noite. No bosque.

Alex Lind e minha irmãzinha. Não quero nem pensar nisso. Porque, se penso, fico tão furiosa que mal consigo respirar.

O sinal está para tocar quando Rennie aparece atrás da porta do meu armário. Ela estava usando uma blusa larga de uma só alça, legging e sandálias de gladiador, e carregava dois pirulitos à maneira de um buquê de flores.

— Oferta de paz — diz ela. — Um para você, um para mim.

— Não, obrigada. — Ela acha mesmo que um pirulito vai fazer tudo ficar bem? Se ela não tivesse me arrastado para aquela festa, nada disso teria acontecido.

— Tentei ligar para o seu celular ontem — diz. — Acho que você estava num lugar sem sinal.

Praticamente a ilha inteira está num lugar sem sinal.

— Bem, eu não tenho nenhuma chamada não atendida. Por que você não ligou para minha casa?

Percebo que ela está tentando pensar em outra mentira. Mas aparentemente não consegue pensar em nada. Ela morde o lábio.

— Certo. Desculpe de verdade. Desculpe por ter saído daquele jeito ontem. Não foi legal. Mas vamos lá! Isso é estranho. Você e eu nunca brigamos. — Ela se encosta no armário ao lado do meu e olha para mim, preocupada. — Sei que as coisas têm estado um tanto malucas nos últimos dias, mas, eu garanto, nosso ano de formandas vai ser incrível.

Pego o pirulito e tiro o plástico. Eu não ligo mais para o ano de veteranas.

— Então está tudo bem com a gente?

Quando ergo o rosto, vejo Kat parada na escada, olhando para mim.

— Sim — digo depressa. — Está tudo bem.

— Bom. Você vem comigo até a sala da Sra. Gismond? Tenho que entregar meu trabalho de ciências.

Olho por cima do ombro de Rennie. Apenas movendo os lábios, sem formar som, Kat solta as palavras *precisamos falar*, e meu estômago parece girar.

— Na verdade, tenho de ir à secretaria. Vejo você na classe, está bem? — digo a Rennie.

Rennie assente e me dá um beijinho no rosto.

— Vejo você daqui a pouco.

Eu a observo se afastar. Quando passa pelo armário de Kat, ela abre a porta e joga o pirulito meio lambido lá dentro, como se fosse uma lata de lixo.

Quando ela vira na esquina, vou até Kat.

— O que você quer?

— Aqui não. — Kat olha em volta. — Quero ir a algum lugar onde a gente possa falar em particular — diz, como um mafioso tentando me convencer a entrar em seu escritório.

Expiro longamente.

— Sério, Kat. Você precisa parar com as drogas. Elas estão destruindo seu cérebro. Não somos amigas, lembra? Não temos sido já faz muito tempo. Então não quero que você ligue para mim, não quero que tente falar comigo na escola. Lamento que Alex tenha usado você para fazer sexo, mas...

— Eu não fiz sexo com Alex!

Dou de ombros.

— Certo, mas ele claramente não está interessado em você, porque ele está com outra garota. Mas essa garota *não é* minha irmã.

Kat geme.

— Olhe, não sei por que você está fazendo isso. Alex levou Nadia para ficar com todos os seus amigos no estacionamento do Bow Tie ontem à noite depois do encontrozinho deles.

O quê?

Kat continua, mas suas palavras ficam mais lentas e ela está me observando atentamente. O que não é bom, porque eu mal consigo me manter de pé.

— Nadia e Alex foram lá na SUV dele, e Rennie correu até a janela e deu um beijo nela.

Quero dizer alguma coisa, quero dizer a Kat que ela está errada, mas não consigo.

Uma expressão surge no rosto de Kat. Uma satisfação.

— Ah! Rennie não lhe contou que eles todos estavam juntos? — Ela dá batidinhas no lábio com a ponta do dedo. — Puxa. Isso é estranho.

— Não quero mais falar sobre isso. — Começo a me afastar, mas Kat avança e me detém.

— Nós duas sabemos disso, Lillia — prossegue. Há algo na forma como Kat diz meu nome, triste, brava, implorando um pouco. — Nós duas sabemos como Rennie é.

É aquele tom de implorar na voz dela que me faz morder o lábio e assentir com movimentos de cabeça muito suaves. Então ela me deixa ir.

Não são nem cinco horas ainda, e o sol já está se afastando. Estreitando os olhos, ergo o queixo para poder sentir o sol no rosto.

— Você quer meus óculos escuros? — pergunta Rennie da piscina. — Está em cima da minha roupa. — Ashlin está se segurando em dois espaguetes de espuma na água, e Rennie está deitada num colchão inflável, com um braço estendido segurando na beirada da piscina para não se afastar.

— Não, obrigada — digo.

— Lil, você devia usar óculos escuros, ou vai ficar com pés de galinha.

Balanço a cabeça. Nunca uso óculos escuros. Não quero fazer tudo parecer mais escuro do que já é. Quero que fique tudo iluminado o máximo possível.

Estamos na minha casa, junto da piscina, sem fazer nada. Convidei Rennie para vir para conversarmos, mas então ela convidou Ashlin.

Estou deitada numa espreguiçadeira, tentando decidir o que dizer a Rennie. Vou pedir para ela ficar quando Ash for embora, e lhe dar a oportunidade de se explicar, de me dizer o que está acontecendo entre Alex e Nadia, mas vai ser só isso. Estamos acabadas.

Repasso tudo outra vez na minha mente quando começo a escutar uma música que vai ficando mais alta. Grave. Visto o suéter por cima do biquíni e vou até o portão. Através das frestas do portão, vejo a SUV de Alex subir pela entrada de casa, com Reeve, Derek e PJ dentro.

Eu dou a volta. Rennie está se impulsionando com os braços sobre o colchão de ar para chegar até a escada.

— Por que você convidou eles?

Ela balança a cabeça, como se eu estivesse sendo ridícula.

— Reeve me mandou um torpedo antes do treino perguntando o que eu ia fazer. Então… eu disse. Por quê?

Se Nadia estivesse em casa, eu trancaria o portão. Mas ela não está. Ela foi à casa de uma amiga praticar os movimentos de animadora de torcida.

Os rapazes entram, suados e com manchas de grama do treino. Ashlin corre e abraça Derek, mas logo se solta dele.

— Que nojo. Vocês estão fedendo.

Reeve ri para PJ, e num segundo os dois estão de cueca e pulam na piscina. Derek vai atrás deles, caindo como uma bala de canhão na água, e então Ashlin e Rennie dão as mãos e pulam na água também.

Assim que estão todos na água, Alex senta numa das espreguiçadeiras. Não exatamente perto, mas definitivamente mais perto do que eu gostaria. Pego os óculos de Rennie e, por fim, os coloco no rosto, para esconder que estou brava.

Minha mãe deve ter escutado todos pulando na água, porque sai pela porta do pátio. Imediatamente, Reeve e PJ entoam juntos da piscina:

— Olá, senhora Cho!

— Olá, rapazes! — Então ela vê Alex sentado perto de mim. — Alex! Como você está? — Ela o adora.

Ele levanta, bancando o falso cavalheiro que é.

— Oi, senhora Cho. A senhora cortou o cabelo? Está bonito.

Minha mãe me olha toda orgulhosa, como dizendo, *Puxa, ele não é incrível?* E sim, ele é mesmo incrível.

— Realmente, cortei, sim. Obrigada por reparar, Alex.

Fico esperando Alex tentar fazer contato visual comigo. Mas ele não tenta. Ele olha para todos os lados, menos para mim. Talvez ainda esteja bravo comigo. Ou talvez seja a consciência culpada dele.

Quando minha mãe vai para dentro, os rapazes saem da água. Como um rei, Reeve ordena:

— Alguém me enxugue.

— Lil, você tem toalhas para eles, certo? — pergunta Rennie.

— Na verdade, não — digo. — A empregada está lavando as toalhas. O melhor que posso conseguir é um pano de prato. Ou toalhas de papel. Desculpe.

Ashlin e Rennie trocam olhares. PJ força uma cara triste e começa a tremer. Eu giro os olhos para cima e jogo minha toalha para ele, que abre um grande sorriso para mim.

— Obrigado, Lil!

— Sim, muito obrigado — diz Reeve.

Ashlin deixa Derek pegar a toalha dela. Rennie estende a dela para Reeve, mas ele recusa. Em vez disso, passa as mãos pelo abdômen, retirando a água, e pega suas roupas.

— Falta hospitalidade aqui. Você está pronto, Alex?

— Sim.

Levanto e vou abrir o portão para eles.

— Tchau — digo.

Reeve faz um sinal de paz para mim e sai, balançando a cabeça. Desde quando Reeve Tabatsky é alguma autoridade em boa educação? Eu já o vi pegar comida do lixo. Foi na casa de Alex, mas mesmo assim...

Os rapazes fazem fila atrás de Reeve, e Rennie e Ashlin vão para dentro trocar de roupa. Eu me encosto na cerca e, sem querer, escuto a conversa do outro lado. Porque Alex ainda não foi embora. Sua SUV continua na entrada de carros.

— Caramba, Cho é uma tremenda vaca. Você acha que ela sabe que Nadia dormiu na sua casa? — diz Reeve.

Eu engasgo.

— De jeito nenhum. Nadia jurou a ela que dormiu na casa da tal Janelle. Ela não ia contar de jeito nenhum.

— É melhor você torcer para ela não contar, mesmo — diz Derek.

— Mano, o que é que você está conseguindo com essa história toda? Eu diria para você ficar com a DeBrassio. Eu respeito aquela menina. A garota sabe o que quer — completa Reeve.

Alex liga o carro.

— Eu sei o que estou fazendo.

Rennie se aproxima por trás de mim e coloca as mãos nos meus ombros. Eu dou um pulo.

— Ei. Cadê a Ash? — pergunto.

— Ela está fazendo xixi. Lil, não sei como dizer isso para você, mas... você tem de se acertar.

— O quê? — Minha mente continua a toda. Nadia dormiu na casa de um rapaz. E não um rapaz qualquer. Lindy. Um cara que eu achava que era meu amigo. Alguém que jamais faria algo assim. Não sei por que fui tão ingênua. Rapazes, eles não merecem confiança. Nenhum deles.

— Esses caras são nossos amigos, e você não quer dar uma toalha para eles? Hoje é quarta-feira. Carlota nem está aqui hoje. Eu não ia dizer isso na frente de todo mundo, mas puxa vida. — Ela olha ao redor antes de baixar a voz. — Lil, você precisa se acalmar, ou as pessoas vão perceber que tem algo errado.

Eu não consigo pensar direito. Apoio-me na cerca, encosto todo o peso nela.

— Você tem razão. — É o que consigo dizer. Eu digo qualquer coisa, só para ela parar de falar.

Mas ela não para. Seus olhos se iluminam.

— Ó meu Deus! Eu nem contei para você o que aconteceu no Bow Tie ontem à noite!

É isso. Até que enfim.

— O que foi?

— Reeve e eu nos beijamos! Quer dizer, foi só por um segundo, então ele se afastou e disse que eu era importante demais para ele para ficarmos apenas num encontro casual. Não é a coisa mais doce que você já ouviu na vida? Eu estou dizendo, nós estamos *assim perto* de ser um casal oficial. — Ela gira, como se já estivesse usando a aliança de casamento.

Eu forço um sorriso.

— Vocês são perfeitos um para o outro. Falando sério.

Depois do jantar ouço Nadia na sala, vendo televisão, mas não vou até lá. Mal consigo olhá-la aqui da mesa da cozinha. Vou direto para o quarto, deito na cama e imagino o que vou fazer agora que não posso confiar em ninguém.

Meu celular toca, e estendo a mão para a cabeceira para pegá-lo. É um texto de um número que não conheço.

Aqui é carma. Eu sou uma vaca. Você conhece alguém que merece ser esbofeteado por uma vaca?

Ah, sim, eu conheço. Posso pensar em alguns nomes.

O celular toca novamente.

Se conhece, encontre-me no Judy Blue Eyes, 2 da manhã. Senão, relaxe e aproveite o show.

É assim que Kat sempre dizia que chamaria seu barco, se algum dia tivesse um. Em homenagem à sua mãe. Essa era a música predileta dela.

Capítulo 12

MARY

NÃO FUI EU. NÃO PODERIA TER SIDO EU.

O que quer que tenha acontecido na escola, seja lá o que foi aquilo, eu nem quero pensar nisso. Só quero dar o fora daqui. Sair desta ilha, afastar-me de Reeve e de tudo que me faça lembrar dele e de quem eu era.

Quando chego em casa, o Volvo de tia Bette está na entrada. Deixo a bicicleta no gramado e caminho para a rua. Que se danem meus vestidos, minhas roupas. Tia Bette pode enviar tudo depois. Tudo que sei é que tenho de pegar a próxima balsa e sair daqui.

Na calçada, paro e me viro para olhar para a casa uma última vez. Tento gravar na memória o tom exato das telhas cinza de cedro contra o céu pouco antes de uma tempestade de verão. Conto as lâminas das persianas brancas de cada janela. Doze.

Traço no ar com o dedo o caminho de pedras. Absorvo tudo, porque esta é a última vez que verei esta casa. Nunca mais vou voltar aqui. Nunca.

Então respiro fundo e começo a descer a colina na direção da balsa, combatendo as lágrimas o caminho todo. Fui uma louca pensando que Reeve ia pedir desculpas pelas coisas terríveis que me fez. Sempre esperei, em algum lugar lá no fundo, que ele se importasse comigo. Que, apesar de tudo, havia algo real entre nós. Que ele se interessava por mim. Que ele lamentava o que fizera.

Sei agora, sei com certeza, que estava errada. Ele nunca vai se desculpar, nem reconhecer o que fez. E por isso não há motivo para eu ficar.

Meu coração está batendo apressado no peito quando chego ao cais da balsa. Estou ofegante demais para falar, então, quando chego ao guichê, fico um pouco de lado para conseguir recuperar o fôlego. Vejo dali da costa quando um barco encosta no cais e os passageiros embarcam. Uma mulher atrás de mim toma meu lugar na fila. Ela tenta comprar uma passagem, mas a balsa das quatro está lotada. Só há lugar na das seis.

Fica mais escuro. Mais pessoas chegam para comprar passagem, mas eu não me mexo. Fico ali e observo e espero. Quero voltar para a fila e comprar minha passagem. Quero muito fazer isso. Tudo dentro de mim está gritando *vai, vai, vai, vai.* Mas não posso. Algo está me segurando. Algo está me mantendo aqui.

O que está acontecendo comigo?

Capítulo 13

KAT

O CÉU ESTÁ NEGRO. BAIXEI O TETO NO CONVERSÍVEL DO MEU PAI, E O relógio do painel diz que faltam 15 minutos para as duas da manhã.

Verifico o celular uma última vez antes de jogá-lo no assento de trás. Nenhuma ligação, nenhuma mensagem. Ela não virá.

Por que sou assim tão idiota?

Eu devia ter guardado essa ideia de vingança só para mim. Vingança é para ser uma coisa solitária. Acho que ouvi isso em algum lugar. E não sei que ajuda Lillia poderia me dar. A mente dela não pode ir para os lugares negros que a minha vai. Ela é pura demais para isso. E mesmo com o que quer que seja que esteja acontecendo entre Lillia e Rennie, não há chance de Lillia jamais traí-la. Na verdade, conhecendo Lillia, ela provavelmente está lendo meu torpedo em voz alta, e Rennie está morrendo de rir. Eu me deixei levar, e veja só agora. Estou acabada antes mesmo de começar.

Que se dane. Vou voltar para casa e trabalhar em minha aplicação antecipada para a Oberlin[7]. Essa é a única coisa que me fará atravessar este ano, o pensamento de finalmente sair desta ilha de uma vez.

Entro no estacionamento da balsa para fazer a volta. As luzes estão apagadas, o lugar está vazio, exceto por uma garota sentada na beira da calçada. Ela está com os cotovelos nos joelhos, a cabeça nas mãos e o cabelo loiro descendo por um dos ombros.

Penso em passar direto por ela, mas alguma coisa me faz diminuir. Quando me aproximo, vejo que é a garota do banheiro.

— Garota do banheiro — digo e paro.

— Meu nome é Mary — diz. Ela está mastigando uma ponta do cabelo.

— Eu sei — minto. — Estava brincando. — Balanço a cabeça e começo novamente. — O que é que você está fazendo aqui assim tão tarde?

Os olhos dela estão muito abertos e agitados.

— Eu tenho de sair desta ilha.

— Bem, você sabe que são quase duas da manhã, certo? Não vai haver outra balsa até amanhã. Você perdeu a última por, deixe-me ver, umas três horas.

Mary não diz nada. Ela só olha para o cais. Não dá para distinguir água do céu. Está tudo negro.

— Acho que estou enlouquecendo.

Ela diz isso, e eu honestamente acredito. Essa garota é totalmente estranha. Mas preciso ir até o iate clube. Por causa da chance minúscula de Lillia aparecer, eu preciso ir até lá.

— Você quer uma carona até em casa ou algo assim? — pergunto, esperando que a resposta seja não.

[7] Conservatório Musical da Faculdade Oberlin, na cidade de Oberlin, Ohio. (N.T.)

— Eu vou apenas esperar. Talvez eu reúna coragem para ir embora de manhã.

— Você vai ficar sentada aqui a noite toda?

— São só mais algumas horas. E depois eu nunca mais vou ter de ver este lugar.

— Onde estão suas coisas? Você não trouxe nada quando se mudou para cá?

— Eu... eu pego tudo depois.

Isso é maluquice. A garota é mesmo cheia de loucuras.

— Isso tem a ver com Reeve?

Mary baixa os olhos.

— Tudo tem a ver com Reeve.

Estou para dizer *ele que se dane*, mas antes que fale vejo o Audi prateado de Lillia passar voando pela rua e virar na primeira à direita, que leva até o estacionamento do iate clube. Não posso acreditar. Ela veio. Ela veio mesmo.

— Suba — eu digo a Mary, porque posso ser uma vaca, mas não vou deixá-la aqui sozinha no escuro.

— Eu...

— Depressa!

Por um segundo Mary parece que vai discutir comigo. Se ela fizer isso, eu dou o fora. Não tenho tempo para ficar pajeando a moça. Lillia pode nem sair do carro se não me vir por lá. Mary hesita, e daí tenta abrir a porta, mas não consegue.

— Está trancada.

— Solte a maçaneta — digo-lhe, e empurro o botão da trava, mas, quando Mary tenta de novo, a porta não abre. Deus.

— Apenas salte para dentro!

— Quem você está perseguindo? — pergunta quando saio a toda velocidade para encurtar a distância até as luzes traseiras do carro da Lillia.

Não respondo. Apenas dirijo.

Quando entramos no estacionamento, Lillia está ao lado do carro. Veste um moletom justo com capuz, short de pijama com corações vermelhos e rosa e chinelos. O cabelo está preso num longo rabo de cavalo. Penso, pela forma como o luar reflete, que o cabelo dela está molhado. Ela deve ter acabado de tomar banho. Isso é uma das coisas estranhas de Lillia. Ela sempre tomava banho toda noite quando era pequena. Acho que algumas coisas não mudam.

— Você está atrasada, Kat — diz Lillia. Então ela vê Mary comigo, e sua mão se contrai ao redor das chaves.

Saio correndo do carro e vou até ela. Estou animada e aliviada por Lillia estar aqui, mas tento esconder.

— Ela precisava de uma carona — sussurro. — Não se preocupe, está tudo bem.

— Kat... — Lillia me olha feio. — Não vou dizer nada na frente dela!

Acho que Mary pode nos ouvir, porque ela diz:

— Está tudo bem. Eu posso ir — e salta do carro.

Ergo a mão, pedindo a Lillia que me dê um segundo, e me viro para Mary.

— Você vai embora da Ilha Jar amanhã cedo como uma menininha assustada?

— Eu *estou* assustada. Estou completamente assustada.

— Por causa de Reeve Tabatsky? — Agora estou realmente brava. Sem dúvida nenhuma, essa menina precisa se encontrar. — Ele não é merda nenhuma. Eu não vou deixá-lo tocar em você.

— Não é isso que me preocupa. — Mary cobre o rosto com as mãos. — Sou eu. Eu sou o problema. Eu... eu apenas não consigo superar. Não consigo seguir adiante.

— Bem, isso é claro. Você não teve um encerramento adequado. O errado não foi transformado em certo. Reeve nunca teve o que merecia.

Lillia balança a cabeça.

— Esquece. Eu estou fora. — Ela aperta o botão do alarme do carro. Os faróis piscam e as travas se soltam.

Eu vou até o carro dela e me encosto na maçaneta, de modo que ela não pode abrir a porta.

— Não saia agora. Você não teria vindo até aqui se não quisesse pegar Alex tanto quanto eu quero pegar Rennie.

Mary se aproxima lentamente de nós.

— O que Alex fez a você?

Lillia hesita antes de responder.

— Ele não me fez nada. Ele fez algo à minha irmã.

Sim, a mim e a Nadia. Não que eu esteja magoada nem nada assim. Foi só um caso idiota. Poderia ter sido mais, mas ele ferrou tudo. Eu já esqueci. Quase.

— Eu lamento. Eu não queria mesmo me intrometer. Eu vou embora. Escute, eu juro que não vou contar nada a ninguém. Você pode confiar em mim. Eu provavelmente sei mais do que qualquer pessoa nesta ilha como esse tipo de coisa pode arrasar você. Eu só... eu acho legal vocês duas fazerem algo a respeito — diz Mary, e depois se vira e começa a caminhar de volta para a balsa. — Boa sorte!

Lillia e eu nos olhamos.

— Espere! — chamo. Mary se vira. — Você quer participar, Mary? Você nos ajuda, e nós a ajudamos com Reeve. — Estou com medo de olhar para Lillia, porque sei que ela decerto está furiosa comigo agora. Mas ela não diz nada. E também não vai embora.

— Por que vocês fariam isso? Vocês nem me conhecem.

Mary me lança um olhar intenso, impassível, e isso me atinge. Levo um segundo para me recuperar.

— Não preciso conhecê-la para saber que você está totalmente arrasada pelo que aconteceu, sei lá, anos atrás. E você não terá isso de graça. Terá de sujar as mãos também. Mas vamos estar nisso juntas. Nós três.

Mary olha para mim e para Lillia por um longo momento. Tão longo que começo a ficar ansiosa. Por fim ela diz:

— Se vocês me ajudarem a pegar Reeve, eu faço qualquer coisa que quiserem.

Lillia não se move. Seus lábios estão contraídos, ela balança a cabeça.

— Eu não sei.

— Pense nisso — digo a ela. Estou tão empolgada, estou quase dando pulos. — Mary é nova aqui. Ninguém a conhece e, obviamente, ninguém desconfia dela. Além do mais, com mais uma pessoa, será mais fácil para nós duas. — Ela não parece convencida. Ergo as mãos para o alto e digo: — Você confiou em mim o suficiente para vir aqui, não foi? Tudo que tem a fazer é confiar um pouco mais. Estou com uma sensação boa sobre isso.

— Então vamos nos vingar de Rennie, Alex e agora Reeve? Você está basicamente me pedindo para acabar com todo mundo no meu grupo — diz Lillia finalmente, mordendo o lábio.

Talvez você não devesse ser amiga desses imbecis é o que está bem na ponta da minha língua. Mas engulo isso e escolho a diplomacia.

— Eu entendo — digo, assentindo. — Você é quem tem mais a perder. Sei disso. Então vamos cuidar de Alex primeiro. Vamos conversar em algum lugar mais reservado. Meu barco está ancorado ali adiante.

— De jeito nenhum, Kat — diz Lillia, imediatamente.

— Você ainda não aprendeu a nadar, Lil? — provoco.

Ela ruboriza.

— Eu só não vejo por que irmos para o barco.

— Será mais seguro falarmos na água — digo-lhe. — Lá não haverá chance de ninguém nos ouvir.

Lillia gira os olhos para cima, descruza e abre os braços, indicando tudo em volta.

— E quem é que vai nos ouvir aqui?

Lillia Cho. Sempre achando que sabe tudo.

— Muitos homens ricos trazem as amantes aqui — digo. — E também os seguranças. E a polícia. Quer dizer, se você quer correr o risco de ser presa, eu...

— Então talvez você devesse ter escolhido um lugar melhor — devolve Lillia.

— Vamos até o barco — diz Mary. — Quer dizer, já que estamos aqui mesmo.

— Está bem — grunhe Lillia.

Eu lidero a caminhada pelo cais, com a lua atrás de mim. Mary vem em seguida, e Lillia alguns passos atrás.

Enquanto andamos, minha mente fica repassando as possibilidades. Como faremos isso, qual é o melhor modo de começar. Eu já pensara um pouco no assunto, para o caso de Lillia aparecer esta noite. Mas agora que Mary também está no grupo, tenho de fazer alguns ajustes rápidos. Tudo que sei é que preciso parecer preparada, por causa de Lillia, para deixá-la tranquila. Essa garota é mais assustada que um gato num temporal. Um errinho, e ela dá o fora.

Quando Mary pergunta se sou dona de um desses barcos, apontando para os iates grandes, eu mal a escuto. Ela tem de perguntar de novo.

— Não exatamente — digo, meneando a cabeça.

Como trabalho no clube, posso deixar meu barco aqui sem pagar nada. Mas não aqui com esses iates, é óbvio. O meu está ancorado lá atrás das bombas de combustível numa parte antiga do cais, onde meu chefe deixa os barcos velhos ou avariados que ele compra bem barato para retirar peças.

— Tenham cuidado — digo-lhes. — As tábuas desse deque estão meio podres, e há muitos pregos enferrujados escapando pelas rachaduras. Acho que ainda tenho o pedaço de um preso no salto do meu sapato. Um idiota entrou depressa demais com o iate dele e fez uma onda tão grande que me fez cair do meu barco.

— Que droga! — disse Mary.

Concordo com um movimento de cabeça.

— E ele mal se desculpou. Os ricos nunca pedem desculpas.

Lillia gira os olhos para cima, mas se mantém calada.

Tiro a lona que está cobrindo minha pequena lancha, dobro-a e a coloco na minúscula cabine na frente. Já faz um bom tempo desde que a tirei da água pela última vez. Acho que a última vez foi em junho, o que é maluco. Mas a questão é que Alex e eu sempre ficávamos neste barco, porque ele tem uma geladeira para manter as bebidas geladas e assentos de couro que reclinam, e um ótimo sistema de som. Por alguma estranha razão isso me faz sentir culpada. Por esquecer quem eu era antes de ficar com ele. As coisas que costumavam ser importantes para mim. Arrumar meu barco, passar o tempo com os amigos de verdade. Nunca pensei que seria uma dessas garotas, daquelas que comprometem quem são por causa de um cara. Especialmente um canalha de duas caras como Alex Lind.

— Entrem — digo, prendendo o fio do holofote à bateria. Ele emite um raio brilhante de luz na noite, iluminando o topo das ondas. Perfeito.

Lillia coloca um pé no chão do barco e congela quando ele se inclina. Então ela pula para fora como um coelhinho assustado. Ela quase colide com Mary, que também parece nervosa. Cruzando os braços, Lillia diz:

— Vamos conversar aqui mesmo.

— Eu ando de barco desde que tinha idade suficiente para virar a direção, pelo amor de Deus! Eu me sinto mais segura dirigindo este barco do que um carro — digo, rindo.

— Eu disse que não vou entrar nessa coisa — declara Lillia. — Ou conversamos aqui fora ou eu vou embora.

— Diva — murmuro muito baixo, depois solto o fio do holofote e volto para o cais.

Nós três sentamos nas tábuas formando um semicírculo.

Nesse momento percebo subitamente que já venci. Porque a melhor amiga de Rennie está sentada aqui e agora, dizendo que me ajudará a acabar com ela. E Alex também vai dançar. Não me importo com Reeve, mas vai ser legal vê-lo receber o que merece. É como uma dessas ofertas de três pelo preço de um.

Estico as pernas para a frente.

— Temos de determinar algumas regras. Primeiro, acho que cada uma de nós tem de participar nos três atos de vingança. Assim ninguém pode recuar nem acusar as outras.

— Obviamente — diz Lillia.

Olho para ela, mas continuo falando:

— Segundo, não podemos ser vistas conversando em público. Nunca.

— Sim. Acho que isso faz sentido — diz Mary, acenando com a cabeça.

— De fato, acho que até mandar mensagens pelo celular umas para as outras é arriscado demais. Lillia, e se Rennie, por exemplo, pegar seu celular e vir meu número?

Lillia baixa os olhos.

— Não que Rennie viva fuçando no meu celular, mas, sim, acho que você tem razão. Temos de ser cuidadosas.

— Temos de ser *mais* que cuidadosas — digo. — Ninguém pode jamais saber o que vamos fazer. O que fizermos juntas viverá e morrerá conosco. — Limpo a garganta, porque essa é a parte mais importante. — E, se vamos mesmo fazer isso, ninguém pode desistir na metade do caminho. Se for para entrar, é para ir até o fim. Até nós três conseguirmos o que queremos. Senão, bem... você pode se considerar a caça. A estação de caça vai abrir, e nós teremos muita munição para usar contra você. Se você não puder jurar que irá até o fim, então é melhor fingir que esta noite não ocorreu.

Mary assente primeiro, e depois Lillia faz o mesmo. Eu sorrio porque, caramba, estamos mesmo indo em frente.

— Então está bem — digo. — Parece que está combinado. Agora temos de decidir o que faremos com Rennie, Alex e Reeve.

— Alex primeiro — corrige Lillia.

Nós nos entreolhamos. Ninguém diz nada.

— Então qual é o plano? — pergunta Lillia.

— Não espere que eu faça todo o trabalho pesado — digo, na defensiva. — Eu só pensei nas regras!

Lillia comprime os lábios.

— Você está falando sério? Eu pensei que você tinha um plano. Eu imaginei que você já teria, sei lá, um caderninho com o nome de todos que você odeia e uma lista de coisas que fará para se vingar deles. — Ela parece mesmo desapontada, o que me dá uma estranha sensação de orgulho.

Começo a falar de improviso.

— Bem, por exemplo, Alex é obcecado pela SUV. Podemos pichar o carro, mexer no motor...

— Isso não é grande o bastante — interrompe Lillia.

— Ele tem um bicho de estimação ou algo assim? Nós podemos sequestrá-lo... e matá-lo! — sugere Mary.

Lillia e eu trocamos um olhar de horror enquanto Mary dá risadinhas.

— Eu estava brincando sobre esta última parte. Eu amo animais!

Vou em frente.

— Nós podemos hackear o computador da escola e mexer nas notas dele. Mexer tanto que a única faculdade que o aceitaria seria a Faculdade Pública da Ilha Jar. O pai vai acabar com ele se não entrar numa das universidades da Ivy[8].

Lillia suspira.

— Eu não sei hackear coisa alguma, e duvido que você saiba, Kat. E você, Mary?

Mary faz que não com a cabeça.

— Acho que tenho uma ideia melhor — diz Lillia. Começo a ficar eriçada, mas ela continua. — Quero dar um jeito para que nenhuma outra garota da Ilha Jar jamais queira ficar com Alex. Então... que tal fazermos isso acontecer? — Tem algo na forma como Lillia diz isso. Inclinada para a frente no escuro, os olhos bem abertos e calmos. Ela está falando muito sério.

— Isso mesmo! — Bato palmas, sem conseguir me conter.

[8] Ivy League. Liga da hera. São as oito universidades mais antigas dos Estados Unidos, e as mais respeitadas: Princeton, Harvard, Yale, Cornell, Columbia, Brown, Dartmouth College e Universidade da Pensilvânia. O nome vem da planta que sobe pelas paredes dos prédios dessas universidades antigas. Especula-se que também pode ter origem no número quatro em algarismos romanos (IV), que era o número inicial dessas universidades (Princeton, Harvard, Yale e Pensilvânia ou Darthmouth, variando segundo a fonte) que participavam de competições esportivas entre si, formando a IV League. (N.T.)

Capítulo 14

LILLIA

Depois do treino das animadoras na sexta, Rennie passa o braço pelo meu enquanto andamos pelo estacionamento.

— Então, o que você quer fazer esta noite?

— Ah, você não vai trabalhar? — Eu achava que ela iria trabalhar e estava torcendo para que fosse.

Rennie faz que não com a cabeça.

— Terri disse que ia trocar comigo. Eu quero fazer alguma coisa divertida! — Ela diz a última parte com uma vozinha infantil.

— Hummm — digo, fingindo pensar. Mas só quero ir para casa, deitar na minha cama e sonhar mais coisas para fazer com Alex. Fico devaneando nas aulas, imaginando como me sentirei incrível quando começarmos a lidar com ele. É, digamos, terapêutico. Eu não me sinto assim feliz desde... bem... faz um tempo.

Ontem durante o almoço Rennie me viu sorrindo sozinha e perguntou:

— Por que você está rindo?

Quase engasguei com o frango. Nunca tive de guardar um segredo grande assim antes. Quando minha mãe planejou uma festa surpresa para os 50 anos do meu pai, fiquei tão preocupada que fosse dar com a língua nos dentes que tive dor de estômago por uma semana. Quando meu pai me colocava na cama à noite, eu ficava pensando *não diga nada, não diga nada*. Eu tinha esse medo de simplesmente sair falando porque estava me concentrando tanto em não falar.

Mas consegui guardar o segredo. Disse a Rennie que estava pensando em aonde iríamos em nossa viagem de graduação em maio. Esse sempre foi nosso plano. Ir juntas a algum lugar, só eu e ela.

— Fiji pode ser incrível. Ou as Maldivas — acabei dizendo.

Nunca mais vou olhar para Rennie do mesmo jeito, mas de certa forma estou feliz por não ter de fazer nada a respeito disso por enquanto. Meu problema é mesmo com Alex, e é nisso que estou focando toda a atenção.

Parte de mim, a parte nostálgica, acho, deseja que eu possa contar a Rennie o que estou fazendo. Ela ia ficar toda animada com o que estamos planejando. Aposto que ia pensar em montes de coisas terríveis e doentias que poderíamos fazer com Alex, coisas em que eu jamais pensaria nem em um milhão de anos. Mas claro que não posso dizer nada. Porque, quando terminarmos com Alex, será a vez de Rennie.

Por agora só preciso seguir em frente. Quanto mais normal eu parecer, menos eles irão desconfiar de que estou tramando alguma coisa. Isso é essencial. Ninguém pode descobrir. Ninguém.

— Você quer ir jantar lá em casa, e depois pensamos no que fazer? — pergunta Rennie.

— Claro — digo, sorrindo.

Deixo meu carro no estacionamento da escola e vou para a casa de Rennie no Jeep dela. O condomínio se chama Gaivotas, e a placa é iluminada por holofotes. A entrada principal é muito bem cuidada, com flores e alguns arbustos altos. Mas, quando você passa por ali e chega ao portão, tudo fica muito menos atraente. Antes era preciso digitar uma senha para passar, mas o portão ficou quebrado o verão todo. Está amarrado com uma corda. Como ocorreram alguns assaltos nesse condomínio na primavera passada, meu pai não gosta que eu venha aqui.

— Alguém devia arrumar esse portão — digo quando passamos. Pego um pirulito de uva na bolsa e o abro. Então ofereço a primeira lambida a Rennie. Ela faz que não, e eu continuo: — Não é seguro. Qualquer um pode entrar.

Rennie dá de ombros.

— O síndico aqui é péssimo. Lembra o tempo que levou para consertarem o chuveiro? Minha mãe está novamente falando sobre sairmos da ilha no fim do ano.

Paro de chupar meu pirulito.

— Sério?

— Alô-ô! Ela queria se mudar já na primavera passada, quando eles aumentaram nosso aluguel.

Eu me lembro disso. Nós choramos e imploramos para a Sra. Holtz mudar de ideia. Até fizemos um plano para Rennie ir morar comigo no nosso ano de formandas na escola. A Sra. Holtz finalmente cedeu quando viu quanto Rennie realmente queria ficar.

— De qualquer forma, agora ela está saindo com um cara do continente. Rick, o *restauranteur* — diz Rennie, torcendo o nariz.

— Ele é dono de uma lanchonete ou alguma coisa brega assim. Minha mãe fica lá o fim de semana todo e está gastando uma fortuna em passagens de balsa. Ela está procurando um lugar. Aposto que vai romper o contrato com a galeria antes de junho.

— Sua mãe ama demais a galeria para abandonar tudo.

— Ela ama sim, mas as coisas têm estado muito difíceis ultimamente — diz Rennie. — Não esqueça que eu acabei de fazer 18 anos. Isso significa o fim dos cheques de pensão do PPM.

Fico quieta. Eu nunca sei o que dizer quando Rennie menciona o pai. Ele a deixou quando ela estava com três anos, e ela só o viu duas vezes desde então. Ele costumava ligar no aniversário dela, mas não entrou mais em contato depois que casou novamente e teve filhos. Agora está em algum lugar no Arizona. Rennie mal fala sobre ele e, quando fala, refere-se ao pai como PPM, Pai Peso Morto.

Ela suspira.

— É uma loucura pensar que, quando estivermos no feriado de Ação de Graças do ano que vem, não estaremos mais morando a dez minutos uma da outra. Vai haver um oceano entre nós.

— Você não vai mudar para outro país — declaro, aliviada por ela não estar mais falando sobre dinheiro ou seu pai. — A viagem na balsa não é nada demais.

— É sim, e você sabe disso — diz Rennie. — Tudo vai mudar.

Eu estava pensando sobre isso antes mesmo das coisas ficarem complicadas entre nós. Quando formos para a faculdade, iremos nos separar. Não precisaremos mais tanto uma da outra. Talvez isso seja bom. Se Rennie não estiver por perto nos feriados, tornará tudo mais fácil.

No complexo existem três prédios idênticos posicionados ao redor de uma pequena piscina no centro do pátio. Damos a volta nela no caminho para a entrada do prédio de Rennie. Apesar de todo o tempo que Rennie mora aqui, nunca nadei nessa piscina. Parece estranho, nadar na frente de uma centena de janelas de cozinha dos apartamentos. E a minha piscina é, sei lá, três vezes maior. Então nós sempre nadamos na minha casa.

Rennie está procurando as chaves quando a porta do apartamento se abre. A Sra. Holtz está com o cabelo escovado e usando um vestido envelope cinza e branco, um grande colar de bolinhas e enormes brincos de prata.

— Como estou? — pergunta enquanto dá uma volta.

— Linda! — Rennie estreita os olhos. — Mas você precisa de um batom diferente. Alguma coisa mais brilhante.

— E acho que ainda está com a etiqueta — digo. Vou até a gaveta dos talheres, pego a tesoura e corto fora a etiqueta do vestido.

— Preciso contar a sua mãe sobre essa loja, Lillia — diz a Sra. Holtz. — Tem ótimos preços em roupas de grife. Veja esta etiqueta. Isso é um vestido Diane von Furstenberg de quinhentos dólares que comprei por sessenta!

— Eu já disse, mãe. Essa estampa é de dois anos atrás. Certo, Lil? — diz Rennie, num gemido.

— Não sei bem — digo, apesar de saber que Rennie está certa. Minha mãe tem outra versão dele. Ela não o usa mais, claro. — Mas está lindo em você.

— Obrigada, querida. — A Sra. Holtz me faz girar com ela e dá dois beijinhos no ar, um de cada lado do meu rosto. — Ei! Vocês, meninas, deviam passar na galeria esta noite. Tem uma exposição incrível de um artista local que faz representações de água em vitrais. — Como nem eu nem Rennie mostramos muita excitação com isso, ela acrescenta: — Eu deixo vocês beberem um pouco de vinho se prometerem ficar escondidas na sala dos fundos.

— Pode ser — diz Rennie a ela, mas em seguida me dirige um olhar que significa *de jeito nenhum*. Nem a bebida é atraente. Primeiro, vinho é desagradável. Rennie conta que tem pelo menos três garrafas de vodca com baunilha escondidas debaixo da cama. Ela as consegue com os barmen no Bow Tie.

A Sra. Holtz pede pizza, meio cogumelo e cebola para Rennie, meio mussarela para mim. Rennie e eu vamos para o quarto dela pintar as unhas enquanto esperamos. Escolho a cor Ballet Slipper. É um rosa-claro, tão claro que parece branco. Rennie escolhe Cha Cha, um laranja forte. Quando as unhas dela estão secas, ela vai tomar um banho. Eu deito na cama dela.

Uma parede inteira do quarto de Rennie é dedicada à nossa amizade. Há fotos de Ashlin e Reeve e todo mundo, mas na maioria somos só nós duas. Estamos no centro de tudo. A faixa de fotos que tiramos naquela máquina de fotografias na feira anos atrás, um cartão de metrô de quando minha mãe nos levou a Nova York para meu aniversário de 14 anos, o programa da Broadway da mesma viagem. Fico triste ao olhar para isso. Como se as lembranças fossem de muito, muito tempo atrás.

A Sra. Holtz inclina o corpo pela abertura da porta.

— A pizza chegou, Lil.

— Está bem — digo, e dirijo um grande sorriso para ela. — Obrigada, Paige. — Sinto-me um tanto estranha chamando a mãe de Rennie de Paige, mas ela insiste nisso.

Em vez de sair, ela se encosta no batente da porta.

— Estou tão feliz por você ter vindo esta noite... Eu disse a Ren esta manhã mesmo: "faz tanto tempo que não vejo Lillia!". — Faz uma semana, o que não seria assim tão estranho, exceto que Rennie e eu praticamente vivemos juntas, estamos sempre uma com a outra. Mas daí ela diz, com uma risada engraçada: — Não fique tão assustada, meu bem! Não estou brava com você! Sei como vocês garotas estão com a escola e o treino de animadoras.

Eu concordo com a cabeça, como se fosse mesmo essa a razão.

— Você sabe que eu a amo. Você é minha favorita entre todas as amigas de Rennie. Eu só quero que vocês garotas continuem juntas.

Concordo novamente. A Sra. Holtz diz o tempo todo como eu sou a favorita entre todas as amigas de Rennie. Quer dizer, é um bom elogio, mas hoje isso me causa desconforto. Ou talvez seja minha consciência pesada.

Rennie aparece com duas toalhas, uma enrolada no corpo e outra na cabeça.

— A pizza chegou, Ren — diz sua mãe.

— Legal. Obrigada, mãe. Tenha uma boa noite! — Rennie praticamente fecha a porta na cara da mãe.

Ela tira a toalha da cabeça e a joga na cama. Tem de desligar o ar-condicionado para ter onde ligar o secador de cabelo. Eu abro a janela para o quarto não ficar quente demais. Ela senta no chão diante do espelho pendurado na porta do quarto e começa a secar o cabelo com uma escova redonda.

— Então, o que vamos fazer esta noite? — pergunta.

Desço da cama e vou de joelhos até ela.

— Vamos ao cinema. Nunca vamos ao cinema. — É o que Rennie e eu fazíamos sempre que chovia. Este verão teve um milhão de dias de sol. Esta noite quero ir ao cinema para não ter de conversar ou olhar para ela.

— Ah! Sim. Você quer que seja uma noite só de garotas? Eu, você e Ash?

— Não. Chame os rapazes. — Eu tenho de dizer isso, porque é o que a velha Lillia diria. E é ela quem devo ser.

— Só Reeve e PJ? Ou chamamos Alex também? Ele já parou com a frescura porque saímos da festa dele?

— Tenho certeza de que sim. — Começo a trançar meu cabelo. — Além disso, quem é que iria comprar doces para mim?

Rennie cai para trás rindo e, no mesmo movimento, me puxa junto. Ela começa a apertar meu joelho, e não consigo evitar rir, porque tenho cócegas. Daí Rennie se vira de lado e sorri para mim.

— Lil — diz, antes de soltar um suspiro —, estou tão contente... — Não sei se ela espera que eu termine a sentença ou o quê, mas quando não faço isso ela se vira de costas e diz, sem olhar para mim: — Você está tomando a decisão certa deixando para lá.

Enfio as unhas na palma da minha mão e sinto o esmalte curvar contra a pele.

— Eu sei — digo, com os olhos fortemente fechados.

Acordo com Rennie sacudindo meu ombro.

— Levante, Lillia. Levante!

Estava escuro. Eu estava deitada num sofá de couro, as pernas caídas para o lado. Minha blusa e o short tinham sumido. Eu vestia apenas o maiô de uma peça.

— O que está acontecendo? — gemi. A boca estava seca e parecia cheia de algodão, e a cabeça girava.

Rennie, os olhos grandes como eu jamais vira, inclinou-se para mais perto.

— Psiu! — sussurrou. Seu hálito cheirava a tequila. Ela estava com os sapatos na mão. — Vamos dar o fora daqui.

Sentei no sofá, e a sala girou. Ainda estava bêbada. Havia alguém deitado na cama, dormindo. Meu cara, Mike, não estava ali. Não sei onde ele estava.

Rennie estava ajoelhada no chão, procurando minha blusa. Ela a encontrou perto da mesa. Eu a vesti rapidamente, e encontrei meu short atrás de uma das almofadas do sofá. Rennie abriu a porta do quarto só um pouquinho, mantendo os olhos no rapaz na cama. Ela me fez sair primeiro.

A casa estava um desastre completo. Havia gente dormindo nos quartos pelos quais passamos e num sofá-cama na sala. Eu nem mesmo respirei. Estava correndo para a porta, com Rennie bem atrás de mim.

Não paramos de correr até estarmos do lado de fora. Eu me apoiei na caixa de correspondência, sem fôlego. Rennie se abaixou para calçar os sapatos de salto alto. Fiquei perto dela, tentando lembrar o que acontecera. Para onde a noite fora. Estava tudo embaçado em minha mente.

Mas então lembrei. Tomando as doses de tequila. Seguindo os rapazes para o quarto. Eles disseram que íamos ver um filme. Mike, beijando meu pescoço. Pegando-me no colo, colocando-me na mesa. Eu o beijei. Estava gostando. Daí parei de gostar. Eu disse não. Acho que disse não. Ele não me ouviu?

Senti a bile subir pela garganta.

— Acho que vou vomitar. — Comecei a forçar o vômito, e Rennie me levou até o meio-fio.

Vomitei tudo.

— Vamos ter de andar — disse Rennie. — Meu Jeep está bloqueado na entrada da casa.

— Não! — disse eu, já quase chorando. — Não podemos andar toda a distância daqui até T-Town! É longe demais.

— Temos de ir. — Ela não parecia muito preocupada comigo. E começou a andar. — Vamos.

Eu não disse nada por cerca de um quilômetro e meio. Só chorei. Rennie ficou alguns passos à minha frente, as costas bem retas. Meus pés doíam muito nas sandálias, mas eu não podia tirá-las. Havia vidro quebrado na estrada. Alguns carros passaram, e imaginei se iriam parar. Mas não pararam. Nem mesmo reduziram a velocidade.

Vomitei mais uma vez no mato. Rennie veio e me empurrou pelas costas.

— Não posso mais andar — disse-lhe, abraçando a mim mesma.

— Você pode sim. Não é tão longe.

Rennie começou a andar de novo, mas dessa vez não a segui.

— Temos de chamar alguém. Acho... acho que preciso ir para o hospital. Acho que Mike colocou alguma coisa na minha bebida.

— Ele não colocou nada na sua bebida. — O vento fazia seu cabelo bater no rosto. — Você só bebeu demais, é só isso.

— Não é só isso! Ele... eu não... — Eu estava chorando para valer, tanto que as lágrimas estavam entrando na minha boca. — Eu posso ter pegado uma DST! Eu posso ficar grávida!

Rennie fez que não com a cabeça.

— Ele usou camisinha. Não se preocupe. — Ela desviou os olhos. — Ele veio pedir uma a Ian.

— Ó meu Deus. Ó meu Deus. — Fiquei repetindo sem parar. Como uma prece. Uma prece para que aquilo fosse um pesadelo, que eu acordasse e não estivesse mais ali. Qualquer lugar, menos ali.

— Lil, você tem de...

— Você fez sexo com Ian?

— Sim — disse ela, suavemente.

— Por que você não me ajudou? — Continuei chorando. Eu lembrava agora de que chamara o nome dela. Eu vi Rennie na cama com Ian. Mike estava beijando meu pescoço, puxando a frente do meu maiô para baixo o máximo que dava. Eu chamei *Rennie*. Depois apaguei.

— Você estava bem! Você estava se divertindo. — Ela começou a andar, afastando-se de mim.

Eu corri até ela e segurei-lhe o braço.

— Não, eu não estava! Você sabia que eu não queria que acontecesse assim! — Com um cara que eu mal conhecia, no mesmo quarto com minha melhor amiga, tão bêbada que eu mal conseguia segurar a cabeça. Minha primeira vez tinha de ser especial. Com alguém que eu amasse. Eu mal trocara carícias com alguém antes. Eu só beijara três rapazes na minha vida.

Rennie soltou-se de mim. Os olhos dela eram duros como diamante.

— As coisas saíram do controle. Mas nós duas sabíamos o que poderia acontecer quando fomos para cima com eles.

— Eu não sabia! — Gritei tão alto que minha garganta doeu.

— Vamos lá, Lillia! Você estava gostando daquilo tanto quanto eu. Ninguém a forçou a beber.

— Eu... não era para ser desse jeito. Não comigo.

Rennie deu um sorriso torto.

— Mas tudo bem se fosse comigo? Eu posso não ser virgem, mas não sou uma puta. — Eu estava chorando tanto que não consegui responder, e ela suspirou e disse: — Olhe, aconteceu e pronto. Vamos apenas esquecer isso.

— Não posso — disse-lhe, meus ombros se sacudiam. — Quer dizer, e se as pessoas descobrirem? E se esses dois aparecerem de novo? — A ideia de encontrar Mike em algum lugar da ilha me fez querer morrer.

Rennie balançou a cabeça e colocou as mãos nos meus ombros.

— Eles só alugaram a casa por uma semana, lembra? Eles vão embora esta tarde. — Ela fixou os olhos nos meus. — Eu não vou contar. Você não vai contar. Ninguém vai ficar sabendo.

Já era dia claro quando chegamos ao apartamento de Rennie. Eu queria ir para casa. Queria contar tudo a minha mãe. Ela saberia o que fazer. Saberia como consertar isso. Mas eu não podia lhe contar. Ela achava que eu dormira na casa de Rennie. E o que pensaria de mim se soubesse a verdade? O que meu pai pensaria? E Nadia? Eu nunca mais seria a mesma garota para eles. Nunca, nunca.

Quando saí do chuveiro, Rennie já estava na cama, os olhos fechados. Deitei ao lado dela. De costas uma para a outra.

— Esta noite não aconteceu. Não vamos nunca mais falar sobre isso — disse ela.

Fomos buscar Ashlin e seguimos para o cinema. Eu não sabia o que estava passando até chegarmos lá. Os rapazes estavam esperando por nós do lado de fora. Rennie pulou nas costas de Reeve, e ele a carregou para dentro. Ashlin e eu entramos na fila dos doces e fizemos nosso plano.

— Que tal pipoca, confeitos de amendoim e jujubas? — pergunta-me.

Posso sentir Alex atrás de mim, então faço um show exclamando.

— E nada de confeitos de chocolate meio amargo? São os melhores! — Esses são os favoritos de Alex.

Ashlin faz uma careta.

— Esses confeitos são nojentos, Lil! E têm gosto de poeira.

E como um relógio, Alex se aproxima e diz a Ashlin:

— Você está brincando? Eles são deliciosos.

— Está vendo? — digo a Ashlin. — Não sou a única que gosta.

Para a balconista, Alex diz:

— Uma caixa de confeitos meio amargos, por favor.

Eu coloco o queixo no ombro dele.

— Você vai dividir comigo, não vai?

— Compre uma caixa para você — diz ele, mas suas orelhas estão cor-de-rosa e os cantos da boca virados num sorriso.

Isso bastou para eu ter Alex exatamente onde eu queria, pensando que estava tudo bem entre nós e não desconfiando de nada.

Capítulo 15

MARY

ESTOU NA MESA DA COZINHA, TERMINANDO MINHA LIÇÃO DE CASA. Tia Bette está ao telefone com uma de suas amigas enquanto prepara o jantar.

— As coisas estão ótimas. Mary está me fazendo companhia — diz ela.

Apesar de as coisas terem sido um pouco estranhas nos primeiros dias, tia Bette está mesmo feliz por eu estar aqui. Nós entramos numa rotina ótima. Tento ficar fora do caminho dela e não interrompê-la quando está pintando. E, se a porta do meu quarto estiver fechada, ela me deixa em paz.

Quando vim para casa altas horas daquela noite no cais, tia Bette ainda estava acordada. Eu implorei para ela não dizer nada a meus pais. Se descobrissem, eles provavelmente entrariam no carro e viriam me buscar. Tia Bette não disse nem sim nem não, mas meu pais não apareceram na minivan, então imagino que ela não tenha contado a eles.

Esse é o tipo de tia incrível que ela é.

Assim que tia Bette vai para a cama, saio sem fazer barulho para esperar Kat. Sento no meio-fio com as pernas estendidas. As outras casas estão escuras, e, lá embaixo, bem lá embaixo na colina, mal consigo ver a lua tocando a água. Se me concentrar de verdade, aposto que consigo ouvir o oceano.

Por fim, o conversível de Kat sobe a colina com os faróis desligados, e levanto da calçada. Ela para bem na minha frente.

— Ei — diz ela. — Está pronta para fazer isso?

— Totalmente — digo, pulando por cima da porta no assento traseiro. — Mal posso esperar para tirar minha habilitação. — Quer dizer, eu adoro minha bicicleta, mas com uma carta de motorista vou poder ir a qualquer lugar. Desde que tia Bette me empreste o Volvo dela.

— Por que você entrou aí atrás? Eu não sou um chofer — pergunta Kat.

— Eu não sei, pensei em deixar o assento da frente para Lillia — digo, ruborizando.

Sinto-me desajeitada e idiota até ela sair com o carro e dizer:

— Estou certa de que é isso mesmo que ela está esperando. Só o melhor para a princesa Lillia.

— Eu realmente não me importo — digo, inclinando-me para a frente.

— Claro que você não se importa — diz Kat, num tom desdenhoso, mas ela o faz de um jeito legal, como se fosse um elogio.

Logo estamos diante da casa de Lillia. É uma casa tão grande e moderna. Nem é realmente uma casa, é mais uma mansão. Lillia vive na parte rica da ilha, White Haven. A maioria das casas tem cercas vivas bem densas ao redor, de modo que não dá para ver como elas são exatamente. E tem tanto espaço. As casas são bem distantes umas das outras, com grandes garagens onde cabem dezenas de carros, e belos jardins com gramados impecáveis.

Kat desliga o motor e apaga os faróis. Ela sopra os cachos para longe dos olhos e diz:

— Ela está atrasada. É tão coisa dela não ter consideração com mais ninguém.

Eu sorrio comigo mesma. Não digo o que estou pensando, que Kat também chegou atrasada.

Ficamos ali sentadas no escuro, e o vento fica mais forte. Kat fecha o moletom com capuz e se vira para mim.

— Você não está congelando? Deve ter um dos casacos de trabalho de Pat no porta-malas.

— Não — digo-lhe, puxando meu short rosa-pálido. — Não estou sentindo nenhum frio. Acho que estou animada demais para sentir frio.

É quando Lillia aparece. Está tão escuro lá fora que só consigo ver seu rosto quando chega mais perto. Ela está descendo pela entrada de carros, vestida toda de preto. Camisa preta de gola olímpica, legging preta, sapatilhas pretas.

Kat começa a rir.

— Ó meu Deus.

Lillia corre até o carro, ofegante.

— Ei — diz ela, ocupando o assento do passageiro.

— Lillia, nós não vamos roubar um banco — diz Kat. — Isso não é um assalto.

— Temos de ter cuidado! — responde Lillia, na defensiva, e depois olha para mim no assento de trás e franze a testa. — Ah, bem. Acho que não importa.

Sinto-me como se tivesse feito a coisa errada de novo. Temos a mesma idade, mas essas garotas parecem tão mais velhas do que eu.

A casa de Alex não fica longe da casa de Lillia. Só alguns quilômetros. É tão grande quanto a dela, mas tem um aspecto mais tradicional, com muito tijolo aparente. Eles até têm seu próprio cais, onde há uma lancha ancorada. Kat reduz a velocidade e o farol assim que chegamos perto. Ela estaciona a algumas casas de distância.

Não posso acreditar que vamos mesmo fazer isso.

— Todo mundo se lembra do que tem de fazer? — pergunta Lillia a nós duas, mas ela está olhando para mim pelo espelhinho do para-sol do carro.

Ficou decidido que eu seria a vigia. Fico aliviada por não ter de arrombar a SUV dele. Ela pode ser uma tia legal, mas duvido que tia Bette conseguisse esconder dos meus pais se tivesse de me tirar da cadeia. Do modo como se preocupam comigo, eu passaria o resto da vida de castigo.

Kat revira os olhos.

— Só repassamos tudo umas quinze vezes. Não é assim tão complicado.

O trabalho de Kat é procurar por um certo caderninho de Alex. Lillia diz que ele está sempre escrevendo nele, mas nunca deixa ninguém ler. Ela diz que é o diário secreto dele e está certa de que haverá ótima munição nesse caderninho, e Alex irá no mínimo desesperar-se por tê-lo perdido.

— Tá bem — diz Lillia. — Eu só queria ter certeza.

— Preocupe-se consigo mesma — diz Kat, inclinando-se sobre Lillia para abrir o porta-luvas e pegar uma lanterna. — Você está com o Retin-A®?[9]

Lillia mostra uma bisnaga de creme.

[9] Creme à base de tretinoína, ou ácido retinoico, usado para tratar acne e suavizar sinais de envelhecimento. (N.T.)

— Isso basta? — pergunta Kat.

— São três meses de suprimento. Então acho que vai dar, sim.

Kat a olha de soslaio.

— Não sabia que você tinha problemas com acne, Lil.

— Minha mãe usa para prevenir rugas — diz Lillia, indignada.

O plano é Lillia tentar esvaziar o frasco de protetor solar de Alex e enchê-lo com o creme contendo ácido retinoico, que torna a pele hipersensível ao sol. De acordo com Lillia, Alex se cobre de protetor solar mesmo se for sair só um instante de casa. Basicamente, vamos fazê-lo ter a pior queimadura de sol de sua vida. Bolhas, pele descascando e tudo mais. Vai ser terrível.

Quando chegamos à entrada de carros, Lillia sussurra:

— Temos de ficar de olho na casa da piscina, é onde Alex fica.

— Eu sei disso — responde Kat, agressiva.

— Eu estava falando com Mary — responde Lillia, no mesmo tom.

— Meninas, vamos lá — sussurro. — Chega de disputas. — Eu me abaixo atrás da SUV de Alex, olhando para a casa. Kat disse que Alex estaria dormindo a esta altura, mas parece que ela estava errada.

Enquanto isso, Kat e Lillia já estão na SUV. Aparentemente, Alex não tranca o carro. Kat está no assento da frente, revistando a mochila dele, e Lillia está no assento traseiro, procurando a sacola de equipamento dele.

— Não estou vendo a sacola, Kat — diz Lillia, parecendo apavorada.

— Ele pode ter deixado no armário da escola.

— Então como é que vou trocar a loção?

— Quer se acalmar? Vamos pensar em alguma coisa amanhã — diz Kat. Alguns segundos depois, ela acrescenta: — Merda! O bloco de notas dele também não está aqui.

— Você está brincando? Pensei que tinha dito que ele deixa o caderninho no carro! — Lillia salta do assento de trás para o da frente. Ela revira o porta-luvas e depois o console e então abaixa os dois para-sóis. Mas o caderninho de Alex não está em lugar nenhum.

— Podemos pegar os livros dele e jogar na água — diz Kat, pegando um livro.

— Não! Quem liga para os livros da escola? Ele apenas compraria livros novos. — Lillia parece a ponto de chorar, de tão brava que está. — Eu não vou embora sem aquele caderno.

Meu estômago parece revirar. Parecia tão fácil quando estávamos planejando. Eu dou mais uma olhada para a casa, daí contorno a SUV para ajudar a procurar o bloco.

Lillia ergue a cabeça subitamente.

— Por Deus, Mary! O que você está fazendo? Volte para seu posto! — ordena.

Fico onde estou.

— Eu só estava tentando ajudar...

Mas eis que Kat exclama:

— Achei! — Ela mostra triunfante um caderninho. Estava embaixo do assento. Kat e Lillia trocam um "toca aqui", e então sorriem para mim. Eu faço um sinal de positivo com o polegar, muito aliviada.

Elas saem do carro. Kat fecha a porta, com um pouco de força demais. Nós duas corremos para o carro de Kat o mais depressa que podemos. Kat vai para o assento do motorista, eu mergulho no banco de trás.

Mas Lillia continua junto da SUV. Ela está parada na entrada de carros, olhando para a casa da piscina.

— O que ela está fazendo? — pergunto a Kat.

Antes que Kat possa responder, Lillia se abaixa e pega uma pedra grande num dos vasos junto da grama. Então ela joga a pedra no vidro de trás do carro de Alex, o que provoca um grande brilho, todos os cacos refletindo a luz da lua. O barulho do vidro quebrando ecoa pelo ar.

Kat e eu ficamos de boca aberta. Isso definitivamente não era parte do plano.

As luzes dentro da casa começam a acender-se. Primeiro no andar superior, depois as duas ao lado da porta de entrada.

— Merda, vamos embora! — grita Kat.

Lillia corre para nós, o cabelo negro e longo parecendo uma faixa esticada atrás dela. Saltando dentro do carro, ela grita:

— Vamos!

Nós saímos a toda, cantando pneus. Depois que estamos a algumas quadras de distância, Kat grita:

— Que diabos foi aquilo?

Lillia não responde. Ela está virada no assento, ainda olhando para a casa de Alex. Está ofegante, e tem um cortezinho no rosto, onde um caco de vidro deve ter batido.

— Lillia, você está sangrando! — digo.

Ela coloca a mão no rosto e depois a olha.

— É só um pouquinho — diz. Nossos olhos se encontram, e ela pisca, parecendo chocada. — Acho que eu me deixei levar pelo momento, não é?

— É, você se deixou sim — concorda Kat. — Mas aquilo foi demais! Parece que alguém vai ter de ir para a escola de ônibus amanhã! — Ela liga o rádio, sobe o volume e começa a dançar no assento de uma forma selvagem.

Eu rio e ergo os braços, como se estivéssemos numa montanha-russa.

— Segure a direção! — exclama Kat. A música está a toda, assim como minha adrenalina. Estamos voando. — Eu quero ver o que tem nesse caderninho!

Lillia se inclina e segura a direção enquanto Kat abre o bloco.

— Isso aqui está cheio de *poesia!* — ela grita mais alto que a música e o vento. — *Todas as suas portas estão trancadas. Nenhuma das minhas chaves serve. O corredor mais longo leva até você, mas eu nunca chego ao final.*

— Que coisa mais brega! — solto, num grito.

Kat continua, ofegante:

— *Corredor mais longo. Longo, longo, corredor. Corredor mais longo.*

— Puxa — diz Lillia. — Esse corredor parece mesmo longo.

Nós três caímos na gargalhada.

— Então, o que vamos fazer com isso? — pergunto.

— Sei o que podemos fazer. Vou tirar cópias de um desses poemas bregas — diz Kat, enquanto seguimos na direção da casa de Lillia. — E depois vou espalhar tudo pela escola.

Lillia não para de rir.

— Kat, eu sabia que você ia pensar em algo incrível.

Eu me inclino para a frente.

— Esperem, o que vamos fazer quanto ao Retin-A?

Lillia salta do carro diante de casa.

— Bem, ele certamente vai estar com a sacola de equipamento amanhã no treino de futebol. Eu só tenho de arrumar um jeito de entrar no vestiário masculino.

— Ele vai parecer um leproso! — exclama Kat.

Lillia ri e corre para casa.

— Boa noite, meninas.

— Boa noite! — grito para ela. E é exatamente isso o que é. Não, é uma noite incrível.

Capítulo 16

LILLIA

QUANDO O SINAL TOCA, DIGO A ASHLIN QUE TENHO DE FICAR PARA FALAR com o professor Franklin sobre a prova e que é melhor ela ir para o almoço sem mim. Espero até ela avançar bastante no corredor antes de me virar e correr para o ginásio.

A sala dos armários dos rapazes está vazia, mas a questão para a qual eu não estava preparada é que não existe uma área de armários separada para a turma do futebol americano. Eu estava achando que os armários dos jogadores de futebol ficavam todos juntos, talvez até tivessem etiquetas com o nome deles. É assim que as animadoras fazem. Mas não havia como dizer qual armário era de quem.

Comecei a abrir armários sem cadeados, mas estavam todos vazios. Achei que os rapazes não usassem cadeados, afinal, o que eles têm que precisa ser trancado? Gel para o cabelo? Meu coração está batendo tão depressa que tenho medo que vá explodir. E se alguém entrar e me vir? Não tenho nenhuma desculpa para estar no vestiário dos rapazes.

É diferente, fazer isso sozinha. Tipo, muito mais assustador.

Ansiosa e apressada, tento mais alguns armários antes de desistir.

Estou sentada no banco de baixo no treino das animadoras, mexendo no cadarço do meu tênis e me sentindo mal por não ter realizado minha parte no plano.

Rennie está em pé na frente com sua prancheta, preparando-se para passar a lista de quem será animadora de quem no nosso primeiro jogo, na sexta-feira.

— A maioria de vocês já sabe como é. Todas têm um jogador designado de quem devem cuidar. Você vai decorar o armário dele no dia do jogo, vai assar os biscoitos prediletos dele, basicamente vai deixá-lo animado e manter a cabeça dele focada no jogo. Eu fiquei com o quarterback[10] titular Joe Blackman desde meu primeiro ano até ele se formar, porque ele me requisitava todo ano. Vocês querem saber por quê?

Duas das meninas mais novas, Teresa Cruz e Lynn McMannis, sussurram alguma coisa entre si e dão risadinhas. Eu sei o que elas estão pensando, mas não é verdade.

Rennie lança um olhar gélido na direção delas, o que as silencia.

— Eu vou dizer por quê. Porque eu sou a melhor. Dou cem por cento em cada jogo. Eu previ as necessidades de Joe Blackman sem que ele tivesse de dizer nada. Biscoitos de manteiga de amendoim sem açúcar assados na manhã do jogo, empenho redobrado quando ele precisava de incentivo. E, honestamente, tenho orgulho de Joe ter entrado para a divisão três na faculdade,

[10] É o principal jogador do time, o cérebro da equipe, que faz os lançamentos da bola quando o time está no ataque. (N.T.)

porque sei que o ajudei a chegar lá. — Rennie começa a caminhar. — A função da animadora não se resume apenas em rebolar o traseiro e se manter bonita. É questão de dedicação à excelência. A propósito, Paige, seus abdominais ontem estavam uma porcaria.

Nessa altura, paro de escutar. Quando Rennie começa a fazer essas palestras "motivacionais", ela não para mais.

Quando a palestra por fim termina, Rennie começa a ler a lista. Minha cabeça se vira subitamente quando escuto o nome de Nadia.

— Nadia, você vai ficar com Diego Antunes — diz ela.

Eu me viro e olho para Nadia, que está mordendo o lábio de baixo com ar de desapontamento. Levanto-me e digo:

— E só para todas saberem, uma caloura que consegue a posição de ser animadora de um formando é uma grande honra. — Digo isso para Nadia se sentir melhor, mas não acho que vá dar certo.

As coisas têm andado quietas no front de Nadia e Alex. Eu ainda a estou mantendo de castigo. Ela só pode ficar na nossa casa ou na de Janelle. Mantenho a porta do meu quarto aberta à noite, assim posso ouvir se ela tentar sair escondido de novo. Também verifiquei o celular dela ontem de manhã enquanto ela estava no chuveiro, e não havia nenhuma ligação ou mensagem de Alex. Espero que a coisa deles tenha sido uma vez só. Se não foi, vai acabar esta semana.

Rennie continua lendo a lista. Estou esperando o nome de Teresa, porque tenho certeza de que Rennie a colocou com alguém péssimo.

— Teresa, você fica com Lee Freddington.

Pronto. Lee Freddington está no segundo ano, e é o quarterback reserva. Ele não vai conseguir nem um minuto no campo, não com Reeve como quarterback titular. Teresa olha para Rennie, e, por um segundo, fico esperando ela dizer alguma coisa, mas claro que ela não diz nada. Ninguém nunca diz.

Rennie me entrega a prancheta.

— Venham todas falar com Lillia, e ela vai passar as informações sobre seus jogadores. Vamos passar isso apenas uma vez, então se certifiquem de que anotaram em algum lugar que vocês não vão perder. — A mim, ela diz: — Vou pegar uma água. Já volto.

Olho para a lista de rapazes no time de futebol americano, com seus aniversários, biscoitos prediletos, endereços de casa, números de celular... e a combinação de seus armários, tanto o do ginásio quanto o de material escolar.

Tenho vontade de beijar aquele papel. Alex Lind, você está perdido de verdade.

Na terça-feira a pele de Alex estava rosada e sensível. Hoje é quarta, e ela está começando a rachar. Ele parece o lagarto que Nadia encontrou nas nossas férias no Havaí alguns natais atrás. Eu quase sinto pena. É duro olhar nos olhos dele sem desviar. A parte clara dos olhos dele parece muito branca em contraste com a pele. E os lábios também. Até eles estão rachados e formando bolhas.

Estamos na mesa do almoço. Rennie se inclina para mim e sussurra:

— A pele de Alex está me fazendo perder o apetite.

Eu dou uma mordida no meu sanduíche.

— Não está assim tão ruim — minto.

Ele está sofrendo, parece que dói até para comer. Eu não imaginava que seria tão doloroso. Eu achava que seria algo puramente estético. Alex me pega olhando para ele, e eu desvio os olhos depressa.

Assim que Alex levanta para pegar um refrigerante, digo a Rennie e Ashlin:

— Vocês acham que pode ser contagioso?

Ashlin fica horrorizada, e Rennie praticamente engasga com o aipo.

— Ó meu Deus. Eu vou mudar de lugar — diz ela. E vai se sentar dois lugares adiante, perto de PJ. Ashlin a segue.

Quando Alex retorna com sua Coca, estamos apenas Reeve e eu nesse canto da mesa, e Alex definitivamente percebe o que está ocorrendo. Reeve deve ter notado também, porque ele diz:

— Cara, que diabos está acontecendo com sua pele?

Alex mal levanta os olhos.

— É o sol — diz ele. — O técnico precisa ir com mais calma nos treinos.

— Eu estou lá no sol tanto quanto você — diz Reeve, tomando um gole do leite. — Talvez seja melhor você ir ao médico ou algo assim. Dar uma olhada nisso.

— Minha mãe já marcou hora amanhã — diz Alex. — Deve ser apenas uma reação alérgica. Acho que nossa empregada começou a usar um novo sabão na máquina de lavar. Pode ser isso.

— Você devia por um pouco de aloé nisso — diz Reeve.

Complemento a sugestão:

— Meu pai tem um pé de aloé. Posso pegar um pouco para você.

— Obrigado, Lillia — diz Alex, num suspiro. — Primeiro quebram o vidro do meu carro, agora isso. Está sendo uma semana péssima.

— Cara, isso é uma benção disfarçada. Agora você pode colocar aqueles vidros fumês que estava querendo. — Reeve passa o braço pelos ombros de Alex. — Ei, sabe de uma coisa? Talvez você não deva ir ao dermatologista para ver sua pele. Talvez seja melhor ir a um urologista. Você pode ter pegado algum tipo estranho de herpes de DeBrassio! — diz, e cai na gargalhada.

Alex ergue o rosto subitamente. Ele olha para mim antes de grunhir:

— Cale a boca, Reeve.

— Ei, eu dou crédito a ela. Ela é uma jogadora, assim como eu.

Viro para Reeve e digo:

— Ah, então você está dizendo que tem herpes? — Reeve apenas ri mais.

— Kat não é assim — diz Alex, com um olhar decidido. Então ele levanta e joga o almoço no lixo.

— Eu estava só brincando — diz Reeve, enquanto Alex se afasta.

Observo Reeve levantar e seguir Alex para fora do refeitório. É surpreendente a forma como Alex defendeu Kat. Foi quase doce. Mas então me lembro de que esse falso cavalheiro também enganou Kat e tirou vantagem da minha irmãzinha, então que direito ele tem de defender quem quer que seja? Ele não está me enganando. Não está mais me enganando.

Capítulo 17

KAT

Na quarta-feira depois da aula, pego a balsa para ir ver Kim na loja de discos. Quando liguei para perguntar se podia usar a copiadora deles, Kim me fez esperar e certificar-se de que o dono, Paul, não estaria por perto. Quando ela voltou, disse que estavam com pouco papel, então eu deveria levar o que fosse usar. Eu roubei um pacote inteiro na biblioteca. Quinhentas folhas para humilhar Alex.

Por mais animada que eu esteja com isso, é um pouco perturbador. Quer dizer, basicamente vou passar a noite toda fazendo essa droga. Eu não me importaria, mas Mary não fez quase nada até agora. Não a condeno por não ter tido nenhuma ideia ainda, ela não conhece Alex. Mas ela terá de fazer força para merecer o lugar no grupo. Lillia está indo bem, eu acho. Apesar de as ideias dela terem sido bem bobas. O negócio do ácido retinoico foi legal, mas, se fosse eu, teria colocado removedor de pelos no xampu dele ou algo assim. Arrase ou desista.

Mas tudo bem. Estamos só começando. Com sorte, quando for a minha vez e voltarmos a mira para Rennie, seremos uma máquina de vingança potente.

Kim se anima quando passo pela porta. Apesar de haver um cliente esperando na fila para ser atendido, ela me puxa para detrás do balcão e me dá um grande abraço. O cliente é um punk com cabelo moicano completo, então imagino que Kim pensa que ele não dá a menor bola para o serviço de atendimento ao cliente.

— Kat! — diz ela. — Senti sua falta, sua vaca!

— Também senti saudade — digo-lhe. Na verdade, acho que não senti. Tenho estado concentrada demais nessa coisa de vingança.

No último verão antes de entrar para a escola secundária, passei horas e horas olhando as prateleiras da Paul's Boutique, vendo as bandas que não ouvia nas rádios. Numa delas havia um fone de ouvido com um fio superlongo, o que me permitia sentar no chão. Não ouvia uma música aqui e outra lá, eu ouvia os discos inteiros. Cinco, seis, sete.

Kim me colocou para fora algumas vezes. Ela ia fechar a loja de noite, e lá estava eu no chão com os olhos fechados, o volume o mais alto que podia aguentar, sem nenhuma ideia das horas. Não é que eu não tivesse outras coisas para fazer. Era sempre bem-vinda para ficar com Pat e os amigos dele. Mas só conseguia aguentar o papo de caras que amam motocross por algum tempo antes de querer fechar as portas da garagem, acelerar todos os motores e morrer intoxicada por monóxido de carbono.

Então Kim ficava, com toda a razão, incomodada comigo naquela época, porque eu era realmente uma péssima cliente. Passava o dia todo lá e não comprava nada. Se eu fosse ela, teria me proibido de entrar na loja, assim como ela faz com aqueles que roubam.

Não sei exatamente o que a fez ter pena de mim, mas foi assim que aconteceu. Fui até o caixa e tentei comprar uma entrada para ver uma banda chamada Monsoon na área da garagem apesar de saber que o show era para pessoas com mais de 21.

Kim percebeu na hora. Ela se inclinou por cima do balcão e me olhou de cima a baixo.

— Quantos anos você tem, 13?

— Eu tenho 16 — disse-lhe, movendo o peso do corpo de uma perna para a outra.

Ela riu na minha cara e não me entregou a entrada.

— Acho que não escutei direito. Quantos anos você disse que tem?

Levou um segundo para eu entender. Limpei a garganta e disse:

— Vinte e um.

Ela ergueu uma de suas espessas sobrancelhas.

— Onde está sua identidade? — Mordi o lábio. Não tinha uma resposta para aquilo. Felizmente, Kim forneceu a resposta. — Você deixou no carro, não foi?

Chacoalhei a cabeça.

— Isso.

Ela me deu a entrada. Eu tentei dar 10 dólares a ela, mas ela não quis receber.

— Eu tenho uma entrada extra para convidados.

— Puxa — disse eu. — Obrigada.

— Não me agradeça. Ninguém que trabalha aqui quer assistir a esse show, então eu vou ter de cuidar de tudo sozinha.

O Monsoon é uma droga, se você ainda não sabe. E você vai me ajudar a desmontar o cenário quando o show terminar.

Ela estava certa, é claro. O Monsoon era mesmo uma droga. Mas ainda assim foi uma das melhores noites da minha vida.

Kim se soltou de mim para me olhar nos olhos.

— Ei. Desculpe por ter sido tão ríspida ao telefone semana passada. Os caras da última banda apareceram muito tarde e tão bêbados que mal conseguiram tocar, e Paul tem sido um saco ultimamente. Você me pegou no pior momento possível. Tem sido...

— Está tudo bem — disse eu, interrompendo-a. O dia de Kim não parece nem minimamente ruim se comparado ao meu, e, de qualquer modo, tenho de terminar isso antes da última balsa de volta à Ilha Jar. — Posso ficar no escritório? — Era lá que estava a copiadora e o computador da loja. Eles têm programas para fazer as filipetas para os shows. Ajudei Kim a fazer filipetas algumas vezes. Vou fazer um layout realmente legal para isso. Mas não tão legal que torne fácil saber que fui eu quem fez. Estou pensando em escanear os poemas de Alex e colocar sobre um fundo com algumas imagens bregas, como a de dois unicórnios tocando os chifres ou algo assim.

— Sim, claro — diz Kim ao cara de cabelo moicano, e depois ele vai embora. — Sobre o que é esse projeto da escola?

— Hummm, é mais uma coisa de arte.

— Ah, legal. E como vai seu amigo Alex? Vocês dois estão seguindo num carrinho de golfe na direção do pôr do sol?

Sinto uma pontada ao ouvir o nome dele, mas tento encobrir depressa.

— Eca! — digo. Quando Alex estava na viagem de pesca, eu ia até a loja todos os dias. E sei que falei muito sobre ele. Deus, é incrível quanto as coisas podem mudar em algumas semanas. Comecei a andar de costas, afastando-me de Kim, porque não tenho tempo para ficar papeando.

— Mas ele era tão legal, Kat. Você precisa de um cara legal. E ele gostava de você, eu vi isso. Acho que vocês formavam um bom casal.

Reviro os olhos.

— Eu mal posso esperar para terminar este ano e ir para Oberlin. Estou pronta para, sei lá, começar a minha vida, sabe? Se tiver de viver aqui mais um ano, juro que vou me matar.

Kim comprime os lábios.

— Sim, sei como é.

Não sei dizer se ela ficou brava, mas não estava falando dela. Claro que não. Kim é a pessoa mais legal que conheço. — Kim, eu não quis dizer...

— Não sei se você percebeu, mas eu e Paul estamos transando. Bem, nós *estávamos* transando, até a esposa dele descobrir. Então agora ele está sendo um saco e reclamando quando falta um dólar no caixa ou se não tem papel higiênico no banheiro da loja. O cara está tentando me despedir e me chutar do apartamento aqui em cima. Eu sei que está.

— Droga — disse-lhe. — Isso é bem ruim. — E é mesmo. Eu vi Paul uma vez. Ele é, sei lá, velho. E nojento.

— Sim — diz ela. — Você sabe onde está a copiadora. Só tente não fazer muita bagunça.

Sinto-me uma idiota. Mas estou com pressa. E quando Kim está de mau humor, é melhor deixá-la sozinha.

Enquanto o computador inicia o sistema, pego o bloco de notas de Alex e começo a folhear, porque talvez tenha outro poema ainda mais brega que "O longo corredor". Embora eu duvide. É um poema tão ruim.

Logo no início do bloco, vejo algo chamado "Fita vermelha". Deus, ele é tão esquisito.

As estrelas de inverno caem, então continuo desejando.
Amo o modo como você fica de suéter.
Podemos dar beijos de esquimó a noite toda?
Porque sua fita vermelha me amarrou em você.

Fita vermelha? O que será que é isso? Algum tipo de metáfora sobre menstruação?

Ah, sim. Claro que é isso.

Capítulo 18

LILLIA

É NOITE DE SÁBADO. REEVE PEGOU AS CHAVES DE UMA DAS CASAS DE veraneio que a empresa de seu pai administra, então nos amontoamos todos nos carros e agora estamos na casa de sabe lá quem em Middlebury. Reeve só nos disse para tirar os sapatos para não levar terra para o carpete, mas depois ele pegou uma garrafa fechada de gim no bar e misturou com uma de Sprite. Quanta consideração da parte dele, não é? Ele serviu copos a todos menos a si mesmo, porque tem de estar bem para o treino de futebol americano na segunda.

Ele é tão rigoroso sobre não beber durante o período do campeonato.

Estou sentada no chão da sala, as pernas estendidas para a frente. Estou muito dolorida por causa dos treinos de animadora durante a semana. Rennie criou uma nova coreografia para o intervalo dos jogos e nos fez repeti-la um milhão de vezes. Alguns dos rapazes do time de futebol estão sentados no chão também, falando sobre uma nova estratégia de defesa.

Estou a meio caminho de cair no sono quando Rennie entra na sala, com Reeve atrás dela.

— Acabamos de ter uma ideia incrível — anuncia ela, erguendo uma garrafa vazia de cerveja e fazendo uma dancinha. — Quem quer fazer o jogo da garrafa? — pergunta.

Os rapazes se animam.

Estou totalmente desperta agora. Não vou participar disso de jeito nenhum. Levanto depressa e digo a Ashlin:

— Ligo para você amanhã.

— Todo mundo senta em círculo, alternando rapazes e garotas — orienta Rennie. — Ash, vá buscar o pessoal na Jacuzzi®.

Ashlin cobre a boca e dá uma risadinha.

— Sério, Ren? Estamos de novo no sétimo ano? — diz ela.

Rennie a olha feio.

— Alô-ô, isso é retrô. E alô-ô, esse é nosso último ano. Isso se chama criar lembranças. — Num tom mais baixo, mas não mais tranquilo, acrescenta: — É a oportunidade perfeita para você ficar com Derek, Ash.

O rosto de Ashlin enrubesce subitamente, e ela se ergue de um salto. Do outro lado da porta de correr, posso ouvi-la chamar todos para dentro.

Aceno rapidamente para Rennie, esperando que ela não perceba, mas, antes que possa escapar da sala, ela segura meu braço.

— Lil, você tem de ficar — sibila, lançando-me um olhar cheio de significado. Ela olha para Reeve e de volta para mim. — Por favor. Preciso de você.

— Eu tenho hora para chegar em casa.

— É sábado! Sua mãe sempre deixa você ficar até um pouco mais tarde nas noites de sábado. — Rennie segura minha mão entre as dela, e sei que ela não me deixará ir. — Só até a meia-noite, está bem?

— Certo — digo, num suspiro —, mas eu só vou assistir. Não vou jogar.

Ela me dá um beijo de gratidão no rosto e me puxa para o grupo já formado no chão. Alex está lá, sentado perto de Ashlin, o cabelo molhado da Jacuzzi. Jenn Barnes e Wendy Kamnikar, duas amigas de Derek dentre as calouras, estão diante deles. Eu sento entre Tyler Klask e PJ, próximo ao círculo, mas não exatamente nele. Estou procurando pontas duplas no meu cabelo.

— Lillia primeiro! — diz Rennie quando eu menos espero, jogando a garrafa para mim.

Meu queixo cai.

— Rennie!

— Não seja uma estraga-prazeres, Lil — diz ela, sorrindo para mim. — Todo mundo tem de participar. — Aperto os olhos para ela, mas Rennie continua com seu sorriso radiante. — Vamos, gire a garrafa.

— Vamos, Lil. Diga que sim ou ela nunca mais vai deixá-la em paz — diz PJ em voz baixa, dando-me uma leve cotovelada.

Reeve, que está me observando com aquele olhar estúpido, começa a bater com os punhos no carpete.

— Lilli-ah! Lilli-ah! — Todos o acompanham.

Eu olho feio para todo mundo.

— Deus, que coisa! Vocês são tão imaturos!

Ashlin gira a garrafa e grita:

— Essa é para Lil!

Ela para apontada para… Reeve.

Sinto meu rosto queimar quando nossos olhos se encontram. Estou para dizer *de jeito nenhum* quando Reeve estende a mão e ajusta a garrafa para apontar para Alex.

— Acho que estava mais nessa direção — diz Reeve, com um sorriso preguiçoso.

— Ei! — reclamo. — Interferência!

Alex limpa a garganta e diz em tom de brincadeira:

— Olhe, não sei o que disseram a você, mas, ao contrário da opinião popular, isso não é contagioso.

— Eu... eu não acho que seja! É só que a regra não é essa. — Eu não quero beijar Reeve, e definitivamente não quero beijar Alex. De fato, não quero beijar ninguém. Talvez eu nunca mais queira beijar ninguém. Pelo menos por um bom tempo.

Reeve ergue uma sobrancelha.

— Eu não sabia que você me queria tanto assim. Fico orgulhoso, Cho.

— Isso... não é isso que estou dizendo, e você sabe muito bem — digo. Posso sentir que estou corando. Reeve sempre faz isso. Distorce minhas palavras.

— Reeve, beije-a de uma vez — diz Derek.

— Pessoal, sem pressão — diz Rennie, apressada.

Ah, *agora* ela está cuidando de mim? Dando-me um tempo. Só por causa disso, eu vou em frente.

Enquanto engatinho para o meio do círculo, não consigo respirar direito. Sento nos calcanhares e mantenho as palmas apoiadas no chão para me equilibrar. Reeve se inclina para a frente muito devagar, prolongando o momento o máximo que pode. Ele está rindo para mim, aquele sorriso convencido que tanto odeio. Sinto que estou entrando em pânico, mas tento com todas as forças não recuar. Se eu entrar em pânico agora, todos ficarão imaginando coisas, e não posso permitir isso. Tenho de ser normal. Tenho de fingir que sou a mesma garota de antes.

Reeve ergue meu rosto, e então algo muda em sua expressão. O sorriso some, e ele olha em meus olhos como se tentasse decifrar alguma coisa. No último segundo, em vez de beijar meus lábios ele beija minha testa, o tipo de beijo que meu pai costumava me dar quando vinha desejar boa noite. Não sei se devo me sentir grata ou insultada.

— Não é justo — diz Ashlin, balançando o dedo para Reeve. — Tem de ser na boca! É a regra!

PJ concorda com a cabeça.

— Ash está certa. É a regra — diz ele.

— Dá um tempo — diz Alex. — Ele a beijou.

Reeve bate palmas.

— Quem é o próximo?

Volto para meu lugar. Só quero ir para casa.

Numa voz muito alta, Rennie declara:

— É a vez de Reeve.

— Viva eu. — Reeve esfrega as mãos e vira a garrafa. Parte de mim deseja que a garrafa aponte Rennie para eu poder sair dali mais depressa, mas outra parte espera que não seja assim, para que ela não consiga o que deseja. A garrafa não aponta para ela. Ela para apontando para Josh Fletcher, e todo mundo começa a rir.

— Vamos lá, Fletch. Não fique com medo — diz Reeve. — Vou fazer com você como fiz com Lillia.

— É melhor girar de novo, cara — avisa Josh. — Não sei por onde seus lábios andaram.

Reeve acaba girando novamente a garrafa, e dessa vez ela aponta para Rennie. Sorrindo, ele se inclina para um beijo rápido. Mas Rennie tem outras ideias. Ela fica de joelhos e avança pelo círculo até ficar na frente dele. Ela segura a camiseta dele e o puxa. Então o beija como se quisesse devorá-lo. O beijo começa com lábios fechados, mas um segundo depois eles estão se beijando de verdade. Ela até passa os braços pelo pescoço dele.

Todos começam a gritar e comemorar. É tão triste e nojento. Rennie se fazendo de idiota na frente de todo mundo. Especialmente de Reeve. Ele já a descartou antes. É óbvio que ele não quer namorá-la, mas isso só faz Rennie querê-lo mais. É patético.

Capítulo 19

MARY

O Sr. Tremont está colocando uma série de legumes de plástico na mesa e pedindo que voluntários representem uma cena num mercado espanhol, e tudo que consigo fazer é sorrir enquanto olho o assento vazio de Alex.

Aquela noite foi talvez a mais divertida da minha vida. Sair com Lillia e Kat, rir para valer, correndo pela escuridão. Quando cheguei em casa, fui para a cama e tentei dormir, mas isso foi completamente impossível. Só fiquei lá deitada no escuro, passando o dedo pelas flores do papel de parede e pensando em como isso era ainda melhor do que o que tentei realizar no primeiro dia. Isso não é sobre Reeve. Isso é sobre mim, e parece destino ou mágica, as meninas entrando na minha vida, bem quando eu mais precisava.

Através da janela, vejo Alex saindo do carro. Uma mulher, que imagino ser a mãe dele, acena e vai embora. Vejo-o correr até a porta principal. Escuto os pés de Alex pisando o linóleo, mais alto que a voz do Sr. Tremont falando com a garota atrás de mim sobre quantos *pimentos* ele pode comprar por 3 euros.

— Desculpe o atraso, *señor* — diz ele, correndo para dentro da sala. — Tive de ir ao médico.

O Sr. Tremont franze a testa e coloca a mão em concha atrás da orelha, fingindo que não conseguiu escutar Alex.

— *En español, señor* Lind. Por favor.

Alex está a meio caminho do seu lugar. Ele para, os ombros caem, e seus olhos se reviram até o fundo da cabeça. Tenho de cobrir a boca para não rir.

— *Yo... yo soy...* — tenta Alex.

Inclino-me para a frente, apoio-me nos cotovelos e coloco o queixo nas mãos.

Queria muito, muito, muito mesmo, que Lillia e Kat estivessem aqui para ver isso.

Alex está tentando conjugar o verbo "desculpar" pela terceira vez quando o sinal toca.

Capítulo 20

KAT

ASSIM QUE O ALARME DE INCÊNDIO DISPARA, GIRO A MÃO PARA FECHAR A tampa do meu isqueiro Zippo. Bem na hora, porque acho que está quase sem gás. Além disso o corpo de metal está realmente quente. Sopro o isqueiro, salto de cima do aquecedor do banheiro feminino e me abaixo junto à porta. A parte superior da porta é de madeira, mas na parte de baixo há uma veneziana. Fico vendo as luzes do corredor sendo encobertas e descobertas por pares de pernas um após o outro correndo para a saída mais próxima. Escuto um dos professores dizer:

— Não tínhamos uma simulação de incêndio planejada para hoje, tínhamos?

Outro professor diz:

— Acho que é pra valer.

E ambos instruem os estudantes a correrem dizendo *Isso não é um treino*, em tom urgente.

Sim. Corram todos. Tenho algo a fazer.

Tiro a mochila, passo os braços pelas alças, de forma que ela fique na frente do meu corpo, e abro o zíper. Dentro estão as fotocópias que fiz na semana passada. Tenho também um rolo de fita adesiva que roubei da sala de artes. Pego a fita e corto pedaços, que colo nos braços para agilizar o trabalho.

A Ilha Jar tem apenas um corpo de bombeiros voluntários, então calculo que levará pelo menos dez minutos até eles chegarem. Leva um minuto, talvez um minuto e meio, para a escola esvaziar-se. Assim que a barra está limpa, empurro a porta e começo a correr.

O corredor dos formandos é onde pode acontecer um estrago maior, então é por ali que começo, colocando uma fotocópia a cada poucos metros. Nas portas das classes, nos armários, no bebedouro.

Sei que isso devia ser a vingança de Lillia, mas tenho de admitir, essa sensação é realmente incrível. Alex me telefonou algumas vezes na semana passada. Mas eu não me dei ao trabalho de atender ou de ligar de volta. Ele não merece nem falar comigo de novo. É assim que é comigo, se fizer algo errado, você está morto para mim.

Exceto Lillia. Estou abrindo uma exceção temporariamente para ela.

Ao final do corredor, chuto a porta que dá para a escada e subo de dois em dois degraus, colando cópias no caminho. O alarme está tão alto que meus ouvidos estão a ponto de sangrar. As luzes de emergência produzem flashes brilhantes. Lembro-me de Luke, um amigo do meu irmão, disparando o alarme no meu primeiro ano. Ele foi suspenso por uma semana e teve de pagar uma multa pesada por desperdiçar o tempo dos bombeiros. Corro ainda mais depressa.

Quando chego ao patamar, abaixo-me para não ser vista pela janela, daí corro o resto do caminho até o segundo andar, onde ficam os armários dos calouros. A adrenalina está bombando, e sinto que posso correr para sempre.

Penso em Nadia entrando e vendo o rosto de Alex e lendo esse poema estúpido e ficando completamente mortificada. Duvido que ela vá querer dar uma volta na SUV dele outra vez. Eu adoro isso. Adoro saber que Alex levará um fora de uma primeiranista, que todos na escola rirão dele.

Completo outro trecho de corredor, mas isso levou muito mais tempo que o esperado, porque tive de parar para cortar mais fita adesiva.

Então escuto as sirenes.

Não tenho muito mais tempo. O que é uma droga, porque ainda falta cobrir mais da metade da escola. Por isso dispenso a fita adesiva e passo a apenas jogar as folhas como confete. O que é bem mais rápido. Termino a ala de ciências e o corredor de inglês. Quando deslizo pelo corrimão da escada dos fundos, vou jogando folhas por cima do ombro.

Estou chegando ao primeiro andar quando um grupo de bombeiros passa pelas portas. Eles estão com seus chapéus, suas lanternas acesas e os rádios emitindo chiados.

Por sorte, estou bem na frente do auditório. Entro e me escondo nas dobras da grande bandeira dos Estados Unidos. Um segundo depois dois bombeiros entram. Seguro a respiração e vejo as lanternas deles no teto, no palco.

Eles gritam que está tudo em ordem e correm para fora, continuando a busca pelo fogo.

Eles não encontram nada, mas Alex arderá em chamas.

Capítulo 21

LILLIA

Não tenho tempo nem de ir até meu armário e pegar a jaqueta. Os professores estão alucinados, empurrando-nos pelos corredores como se o prédio estivesse mesmo em chamas. O dia é muito claro lá fora, mas também muito frio, especialmente para esse período de setembro. Estou tremendo, encostando-me em Ashlin, que passa o braço pelos meus ombros.

— Quer minha jaqueta, Cho? — pergunta PJ.

Eu aceito.

— Sim, por favor! — Ele tira a jaqueta e a entrega a mim. Eu a visto, e Ashlin fecha o zíper, pulando de um pé para o outro. A jaqueta tem o mesmo cheiro de mofo do porão de PJ, mas é melhor que nada.

— Você acha que tem mesmo um incêndio? — pergunta-me, ansiosa. — Talvez não dê tempo de fazer a prova.

Tivemos uma simulação de incêndio na semana passada. Mas isso agora não parece um treino. Os professores pareciam não saber o que está acontecendo. Fico imaginando se seria coisa de Kat. Ela disse que ia colar os pôsteres, mas isso é ousado até para ela.

— Pode ser — digo quando o carro de bombeiros entra no estacionamento. Alguns dos novatos começam a bater palmas e a gritar "Deixa queimar! Deixa queimar!".

Tão infantis.

Ficamos no estacionamento por mais meia hora enquanto os bombeiros verificam o prédio. Não consigo sentir os dedos dos pés. Os bombeiros finalmente vêm dizer que está tudo bem, e os professores nos fazem entrar novamente.

Estou andando pelo corredor dos veteranos quando os vejo. Nossos pôsteres, com o rosto sorridente de Alex e seu poema, nos armários, nas paredes. Estão por *toda a parte*.

Alex viu também. Ele parou diante de uma pilha deles junto a um conjunto de armários. Ele diz lentamente:

— Mas o que...

Reeve pega uma das folhas e começa a ler em voz alta, dobrando-se de tanto rir.

— *As estrelas do inverno caem, então continuo desejando... Amo o modo como você fica de suéter.*

Podemos dar beijos de esquimó a noite toda? Porque sua fita vermelha me amarrou a você!

Isso não parece o poema que Kat leu no carro. Aquele do corredor longo.

Pego uma folha e leio.

Espere.

Fita vermelha?

•••

Era época de Natal, no meu primeiro ano. Minha família inteira estava na casa de Alex Lind para a festa de Natal que eles fazem todo ano. Desde que nos mudamos para a ilha, a mãe de Alex e a minha se tornaram boas amigas. Elas saíam para almoçar juntas, faziam compras fora da ilha, esse tipo de coisa.

Os pais estavam embaixo, bebendo e conversando perto da lareira. Elvis Presley estava tocando no estéreo, e nós, os filhos, podíamos ouvir lá de cima no quarto de Alex. Isso foi antes de ele ir morar na casa da piscina. Alex costumava ter todo o terceiro andar para ele. Era basicamente uma grande sala de recreação, com sacos de bolinhas de isopor, uma mesa de pebolim e um alvo de dardos. Para a festa, a mãe de Alex preparara uma mesa de comidas para crianças, coisas como nuggets, camarão empanado e minipizzas, provavelmente para que nós não descêssemos para perturbá-los.

As crianças menores, minha irmã incluída, estavam brigando para decidir quem seria o próximo a arremessar os dardos. Nadia quase brigou pra valer com um menino de oito anos, um primo de Alex, acho, e eu tive de intervir. Como Alex e eu éramos os mais velhos, nós é que cuidávamos dos outros. Eu nem queria ir, já que Rennie não ia, mas minha mãe insistiu para estarmos todos juntos.

Alex colocou um DVD para as crianças, e eles se acalmaram um pouco. Eu estava sentada à mesa, mexendo no computador de Alex e comendo biscoitos de Natal. Era uma rena com um doce vermelho em lugar do focinho. Alex estava deitado na rede ali perto, tocando violão. Ele não era ruim nisso. Então, do nada ele disse:

— Legal esse seu prendedor de cabelo.

Olhei-o, surpresa.

— Ah, obrigada — disse-lhe, levando a mão ao alto da cabeça. — Na verdade é uma faixa. — Minha mãe queria que eu usasse um vestido, mas teria sido idiota aparecer na casa de Alex Lind toda empetecada. Então coloquei um suéter verde e uma saia xadrez, além da faixa vermelha, para dar um toque festivo.

— Legal — disse-me, voltando a olhar para o violão. — Você fica bem de vermelho. Como, sei lá, aquela camisa que você usa às vezes.

— Que camisa?

— Não lembro. — Seu rosto sardento ficou da mesma cor do cabelo. Ele continuou a tocar o violão. — Acho que você usou na segunda, ou algo assim?

A única vez que usei vermelho na segunda-feira foi na aula de ginástica.

— Aquilo era meu uniforme de ginástica da escola antiga — expliquei-lhe.

— Legal — disse ele. Agora o rosto dele estava tão vermelho quanto minha faixa. — Sim, nós não temos uniformes aqui.

— Sim, eu sei — falei.

O clima ficou estranho por mais um ou dois segundos. Daí Alex levantou e foi ao banheiro, e voltei para o computador.

Ah, meu Deus!

Aquela festa de Natal foi no nosso primeiro ano. Ele ainda se lembrava? Depois de tanto tempo? Não pode ser.

Olho para ele, e ele olha para mim. Ele baixa o rosto. Então o poema é mesmo sobre mim.

Ao meu lado, Ashlin cobre a boca com a mão.

— Ah, meu Deus! — diz ela, rindo. — Eu não sabia que Alex é um poeta!

Eu me sinto tonta.

— Quem fez isso? — pergunta Alex. Ele está completamente vermelho, e muito bravo mesmo.

Reeve está praticamente caindo ao chão de tanto que ri.

— Cara, isso é a música que você está fazendo, não é? Vamos lá. Não fique envergonhado. Isso é bom. Você tem talento.

— Cale a boca, Reeve.

Ficamos olhando enquanto Alex começa a recolher as folhas. Fico imaginando como Kat conseguiu prender os pôsteres em lugares tão altos.

— Alex, cara, podemos beijar como esquimós a noite toda? — pergunta Reeve, caindo outra vez na gargalhada e o abraçando.

Alex o empurra.

— Foi você quem fez isso?

— De jeito nenhum! Eu juro pela sua fita vermelha! — diz Reeve, meneando a cabeça.

Alex segue pelo corredor arrancando os outros pôsteres e jogando-os no lixo no meio do caminho.

Reeve começa a cantar o poema, e todo mundo está rindo. Eu vou até ele e arranco o pôster de sua mão.

— Você é tão idiota — digo, num tom bastante alto. Volto-me para Ashlin. — Vamos para a classe.

Ashlin e eu estamos nos afastando quando Reeve grita atrás de mim:

— Você tem de trabalhar seu senso de humor, Cho.

Não me viro. Apenas continuo andando. Ashlin está falando sobre o poema ou música de Alex ou seja lá o que for, mas eu mal presto atenção. Não posso parar de pensar na expressão de

Alex quando nossos olhos se encontraram. Ele realmente gosta de mim tanto assim? Mas, se isso for verdade, o que ele está fazendo com minha irmã? Não faz sentido.

Capítulo 22

MARY

Sinto que sou uma garota totalmente diferente. Quando vejo Reeve no corredor, não desvio do caminho para evitá-lo. Apenas sigo em frente com a cabeça erguida, porque não me importo se ele repara em mim ou não. Mesmo que ele subitamente me reconheça do modo como queria que fizesse no primeiro dia de aula, que fique maravilhado com como estou diferente, isso não mudaria nada. Mesmo que se desculpasse, ainda assim teria o que merece. As engrenagens já estão em movimento.

Eu me contive por tempo demais. Não vou fazer mais isso. Então, quando caminho pelo corredor, faço questão de sorrir para pessoas que não conheço. Na classe de biologia, quando James Turnshek aumenta demais a chama do bico de Bunsen e quebra o béquer, rio junto com todo mundo. Não dou a mínima porque vamos ter de recomeçar do zero.

Perto do final do dia, passo por Lillia no corredor. Estou indo para a aula de matemática, e ela está junto do bebedouro, segurando o longo cabelo negro com uma das mãos, mas ela faz algo quando me vê olhando para ela. Ela abre muito os olhos, dobrando-lhes o tamanho normal, e balança a cabeça suavemente, como se quisesse que eu me aproximasse.

Tento não parecer óbvia demais quando paro e me aproximo. Abraçando os livros contra o peito, finjo estar lendo um anúncio do grêmio estudantil pregado na parede.

Assim que estou perto dela, Lillia solta o cabelo. Ele cai cobrindo o rosto, e parte dele cai dentro do bebedouro. Imagino que ela fez isso para que não a vejam falando comigo.

— Reunião depois da escola, na piscina, certo, Mary? — diz, numa voz tão baixa que tenho de me esforçar para ouvir.

Concordo, e depois saímos em direções opostas.

A piscina fica num prédio separado e, no momento, está fechada para reformas. Estão trabalhando para que esteja pronta até o inverno, quando começa a temporada de natação. Uma cunha na base mantém a porta aberta, então a atravesso e entro.

Sou a última a chegar. Lillia e Kat estão sentadas juntas no alto da cadeira do salva-vidas. Estão curvadas olhando alguma coisa no celular de Kat. Lillia gira um pirulito na boca. Kat fica puxando as partes desfiadas de seu jeans.

— Ei — eu digo. — O que vocês estão vendo?

Lillia salta da cadeira, e a saia xadrez sobe um pouquinho. Ela move o pirulito de forma que o palito branco sai pelo canto da boca.

— Kat fez um vídeo de um pessoal cantando a música de Alex no refeitório hoje.

Kat também desce, e suas botas fazem um barulho alto ao colidirem com o chão de concreto. Ela ergue o celular para eu ver.

— Eles a transformaram num rap. Mas ouvi outros cantando como jazz, e heavy metal...

— Puxa — digo. — Talvez Alex seja bom compondo músicas? Quer dizer, a música ficou na cabeça de todo mundo.

Kat ri tão alto que o som enche o prédio inteiro, ecoando em cada parede, em cada ladrilho.

— Essa merda realmente gruda, tenho de admitir. — Ela pega um cigarro no bolso e o acende.

Fico preocupada porque Kat não devia estar fumando aqui. Mas não vou lhe dizer para apagar o cigarro. Em vez disso pergunto:

— Você acha que alguém desconfia que estamos por trás disso?

Kat revira os olhos.

— Ninguém desconfia de nós. Além disso, ninguém sabe quem você é.

Acho que faço uma expressão de pesar, e Lillia diz:

— Sim. É por isso que você é nossa arma secreta!

— Sim, sou silenciosa mas mortal — digo, em tom de chacota.

— Como um pum! — emenda Kat.

Eu rio também, e depois mostro o dedo do meio para ela. Acho que é a primeira vez na vida que faço isso.

— Rá-rá, veja, a pequena e doce Mary está virando uma encrenqueira — diz Kat, rindo.

— Não estou não! — berro, mais alto do que pretendia, e cubro a boca com a mão.

— Só estou brincando — diz Kat. — Mas, falando sério, nós somos assustadoramente boas nisso.

— Mais que boas — corrige Lillia, tirando o pirulito da boca. O interior de sua boca está vermelho-cereja. — Nós somos incríveis.

— Ela olha para o celular e começa a digitar na tela. Sem erguer os olhos, diz: — Quer dizer, poderíamos até parar agora mesmo se quiséssemos.

Eu e Kat olhamos para ela.

— O quê?

Lillia coloca o celular na bolsa.

— Estou só dizendo... que podemos parar enquanto estamos ganhando e começar com Rennie ou Reeve. — A voz está um tanto mais baixa do que antes.

— De jeito nenhum, cara! — diz Kat. — Amanhã vai ser épico. Primeiro jogo de futebol do campeonato. Todo mundo verá nosso plano se concretizar. Será nosso melhor trabalho até agora. Aposto que não conseguirei dormir esta noite. É como a véspera de Natal.

Kat não está levando Lillia a sério, posso perceber. Ela está sorrindo, pensando em amanhã. Mas vejo a expressão nos olhos de Lillia. Tem algo diferente.

— O que mudou? — pergunto a ela.

Ela morde o lábio.

— Eu não sei. Nada.

— O jogo é amanhã — digo. — Já trabalhamos tanto nisso...

— Lil, chega dessa coisa de culpa — diz Kat, impaciente.

— Pensei que essa fosse a minha vingança — diz Lillia, enfiando as mãos nos bolsos. — Isso não quer dizer que eu decido quando parar?

— E por que você ia querer parar agora? — pergunta Kat. — Você contou a alguém? Você disse alguma coisa a Rennie?

— Não! Deus, não é nada disso. Olha, eu estou certa de que o que houve entre Alex e minha irmã já acabou. Então, Kat, sinta--se livre para reatar com Alex. Qualquer coisa que o mantenha longe da minha irmã para mim está muito bom.

— Não me coloque nisso! — Kat começa a andar de um lado para o outro. — Isso é coisa sua, não minha.

— Ah, por favor. Não haja como se você não estivesse se beneficiando também. Você gosta de Alex, ele ficou com minha irmã, e agora ele voltou para o mercado. Parabéns.

Kat olha feio para Lillia.

— Preste atenção, Lil. Sua irmãzinha ficou com as *minhas* sobras.

Eu avanço e fico entre as duas.

— Hum, sobre o que vocês estão falando? — Alex e Kat? Os dois estão juntos? — Por que vocês não me contaram? — Começo a balançar a cabeça.

— Está tudo errado. Não podemos ter segredos entre nós!

— Você tem razão, Mary. — Lillia se vira para Kat com tanta força que o cabelo gira de um ombro ao outro. — Kat, o que são você e Alex exatamente? Namorados? Trocam mensagens de amor pelo celular toda noite? Ou foi só um erro de uma noite?

Os olhos de Kat se inflamam. Mas antes que ela diga qualquer coisa, a porta do prédio da piscina fecha com um som assustador.

— Ei? Quem está aí? — chama uma voz grave.

Engulo em seco. Lillia também.

Kat se abaixa e esmaga o cigarro no chão. Com o queixo, ela aponta para uma porta. Nós três corremos, ela abre a porta, mostrando uma pequena cabine de força. Apertamo-nos ali dentro, e Kat fecha a porta quase totalmente, de modo que ainda podemos ver lá fora.

— Quem é? — sussurra Lillia, mas Kat ergue um dedo. Acho que nós três paramos de respirar.

Através da fresta vemos um dos operários da construção olhar em volta. Ele é grandão, usa jeans sujos, botas de trabalho, um capacete amarelo e tem uma argola cheia de chaves pendurada na cintura. Ele chama alto:

— Alô! Quem está aí? E então começa a farejar o ar.

A fumaça do cigarro.

Do meu lado, Kat fecha os olhos.

Ficamos absolutamente imóveis, olhando o trabalhador ir até a piscina, olhando ao redor, desconfiado. Ele passa por onde estávamos. Anda até onde estamos escondidas, e empurra a porta da cabine, fechando-nos na escuridão.

Leva um segundo para meus olhos se ajustarem. Lentamente, começo a distinguir Lillia ao meu lado. Acho que ela está a ponto de desmaiar. Seus olhos estão fechados, e suas mãos tremem muito. Kat também percebe e segura uma das mãos de Lillia, tentando acalmá-la. Lillia não abre os olhos.

Há mais alguns minutos de silêncio, e então ouvimos a porta de saída abrir-se e fechar-se novamente. Esperamos mais alguns segundos antes de sairmos do esconderijo.

— Merda! — exclama Kat. — Essa foi por pouco.

Lillia não parece aliviada. Ainda está tremendo muito.

— Você não devia fumar aqui, Kat.

Kat faz um gesto.

— Que seja. Mas não nos pegaram. Além do mais, não era eu quem estava gritando.

Empertigando-se, Lillia diz:

— Olha, é sobre isso que eu estava falando.

Posso ver que elas estão a dois segundos de começar a discutir outra vez. A ideia de eu não conseguir minha vingança, dessa coisa toda desmontar antes de começarmos com Reeve é inconcebível. Mas, se é assim difícil para Lillia, sei que será ainda mais difícil para mim. Vou ter de ficar relembrando a cada segundo que Reeve merece isso. Ele merece tudo que irá lhe acontecer, e mais.

Numa voz forte e clara, digo:

— Meninas, parem com isso. — As duas olham surpresas para mim, e eu continuo: — Eu acredito nisso, no que estamos tentando fazer. Só de saber que Reeve vai ter o que merece faz eu me sentir mais em paz do que me senti em anos. — Respiro depressa, para o caso de elas quererem interromper, mas isso não acontece. Elas estão mesmo ouvindo. — Sei que vocês duas têm uma história complicada, e que tem muita coisa no passado de vocês. Mas isso não importa mais. Estamos aqui porque alguém nos machucou. — Viro-me para Lillia. — Se eu tivesse uma irmã e alguém se aproveitasse dela, eu ia querer acabar com o cara. Não tem nada de errado nisso. Acho que isso é ser uma boa irmã mais velha. O que você está fazendo é proteger sua irmã. Eu... eu gostaria que alguém tivesse feito isso por mim.

O queixo de Lillia começa a tremer.

— É só isso que eu quero. Proteger Nadia.

Kat estala a língua.

— Do que você está falando? Você é uma boa irmã mais velha, Lil. Sempre foi.

Lillia tira o protetor labial e o aplica nos lábios.

— Vamos repassar os planos para o jogo de amanhã. Temos de pensar em muitos detalhes.

E assim, depressa, estamos novamente no negócio.

Capítulo 23

KAT

É SEXTA-FEIRA, POUCO MAIS DE SETE DA NOITE. O PLANO ORIGINAL ERA pegar uma peça para a moto de Ricky na loja de autopeças, mas ela já estava fechada e agora estamos andando por aí. Eu, Ricky e Joe no carro de Joe. Ricky e Joe são caras que conheço através do meu irmão, Pat. Eles dois estavam um ano na minha frente na escola. Joe não se formou ainda porque nunca vai às aulas, e Ricky está agora na faculdade comunitária. Lillia provavelmente os consideraria perdedores, mas eles são caras legais.

Estou no banco do passageiro, e Ricky está dormindo atrás.

— Aonde vamos? — pergunto a Joe.

— Para onde é que *sempre* vamos? — responde ele, os olhos mal abertos. — Para lugar nenhum.

— É por isso que ela parou de andar com a gente neste verão — murmura Ricky lá de trás, sonolento.

— Cale a boca. Eu não parei. — Mas tinha parado, sim. Estava com Alex, na maior parte do tempo. Viro e dou um soco no ombro de Ricky. — Acorde! Vamos. É sexta à noite. Vamos fazer alguma coisa.

— Você tem mesmo um espírito inquieto, Kat — diz Joe. — Devia se acalmar.

Estou agitada, porque o jogo de futebol americano vai começar logo. Inclino-me para a frente no assento e bato com as mãos no painel.

— Ei, tive uma ideia. Por que não passamos pela escola? Tem um jogo esta noite. Vamos rir deles.

Joe olha para mim como se eu fosse maluca.

Ricky senta e diz:

— Um jogo de futebol? De jeito nenhum.

— Vamos lá, caras — insisto. — Quer dizer, o que mais podemos fazer? Ficar andando de carro o resto da noite? — Abrindo a bolsa, mostro um saco de maconha que roubei do meu irmão. — Vocês dois fumam. Eu dirijo.

É uma oferta que eles não podem recusar.

Meia hora depois estamos embaixo das arquibancadas perto da *end zone*[11]. O jogo está para começar. Lillia está fazendo aquecimento na lateral, dando chutes e saltos. Nós nos vemos, e ela acena com a cabeça antes de realizar um alongamento. Isso quer dizer que ela conseguiu. Bom. Eu estava um pouco preocupada depois da conversa na piscina ontem. Preciso parar de pressioná-la. Porque a verdade é que, se Lillia decidir parar, não há nada que eu possa fazer para impedir. Mesmo que comece a dizer a todo mundo na escola o que ela fez com Alex, ninguém vai se

[11] *End zone* é cada uma das áreas entre a *end line* e a *goal line* delimitada pela linha lateral. (N.T.)

importar, não depois de ficarem sabendo por que ela fez isso. Dói dizer, mas preciso mais dela do que ela de mim. Se não fosse por Mary, teríamos implodido ontem, e onde isso me deixaria?

Dou uma tragada no cigarro de Joe, e é então que vejo Mary nas arquibancadas. Ela acena excitada para mim. Desvio os olhos, mas não antes de ver a expressão de dor que surge nos olhos dela.

Fico me sentindo mal. Ela está lá sentada sozinha. Mas não posso convidá-la a ficar comigo, Joe e Ricky. Eles fariam perguntas, iriam querer saber quem é ela. E Mary provavelmente desmaiaria ao ver um baseado. É melhor assim.

Capítulo 24

MARY

Epa.

Desvio os olhos e afundo no assento da arquibancada. Sou tão idiota por ter acenado para Kat com toda essa gente ao redor. Grande ideia para quem quer passar despercebida. E, além disso, acenar para alguém que não acena de volta é *tãããão* embaraçoso. Espero que ninguém tenha notado.

Acho que Kat e eu podemos ser amigas, depois que isso acabar. Quanto a Lillia, não tenho certeza. Quer dizer, espero que a gente converse de vez em quando. Mas ela é tão popular. Ela não precisa de outra amiga. Acho que o melhor que posso esperar é que possamos parar de fingir que não nos conhecemos quando estivermos em público.

Na frente das arquibancadas, a banda da Ilha Jar começa o hino de torcida. Não posso ver a banda de onde estou sentada, aqui em cima na última fileira. Vejo só a parte de cima dos instrumentos brilhantes indo de um lado para o outro junto com as penas brancas que se erguem dos chapéus dos músicos da banda.

Todo mundo ao redor está cantando junto. Eles movem os braços como asas de gaivotas e batem os pés nas arquibancadas para simular um trovão.

Não conheço a música.

Lillia e Rennie estão lá no campo em seus uniformes de animadoras. Rennie tem um megafone na mão com um grande C pintado do lado, acho que porque ela é a capitã. As outras animadoras na equipe estão formando uma fila perfeita, a ponta de seus Keds® mal tocando a linha branca do campo. Lillia, Rennie e Ashlin passam diante da fila e inspecionam atentamente as outras animadoras, ajustando as dobras da fita de cetim branco que prende o cabelo delas todas em rabos de cavalo, endireitando os suéteres, passando brilho nos lábios das meninas que precisam. Quando chegam ao final da fila, Rennie e Lillia conferenciam. Então Lillia corre, pega os pompons brancos e entrega os de Rennie, e juntas elas os sacodem, acompanhadas pelo resto da equipe, e tentam animar o pessoal nas arquibancadas.

Fico olhando Lillia e Rennie realizarem juntas uma rápida coreografia, sorrindo para as outras e uma para a outra. Mais e mais percebo como isso deve ser difícil para ela, agir como se fosse amiga de Rennie enquanto está ali para ajudar Kat a enfiar uma faca nas próprias costas. Quer dizer, todas nós estamos de fato nos vingando de algum amigo de Lillia.

O time adversário chega e ocupa o outro lado do campo. Eles têm suas animadoras e banda, mas não têm nem metade da torcida que nosso time tem. Provavelmente porque precisaram pegar a balsa para chegar aqui. É inconveniente para eles, mas é ótimo para nós. Acho que é por isso que dizem que é vantagem jogar em casa.

Nossa banda começa outra música, e nossas animadoras mudam de formação, fazendo duas filas longas perto dos portões. Então Lillia e Rennie desenrolam um rolo de papel craft ao longo da *end zone*. Elas pintaram "Lutem Gulls, Lutem!" na faixa em brilhantes letras arredondadas.

Alguns segundos depois as portas dos vestiários se abrem e um grupo de jogadores sai correndo, com seus capacetes nas mãos. Reeve está na frente, correndo com passadas rápidas, com o resto dos jogadores veteranos vindo atrás, e ele é o primeiro a atravessar a faixa de papel, rasgando-a e fazendo barulho.

Reeve tem listras pretas pintadas sob os olhos, e o cabelo está molhado e penteado para trás. Todo mundo na nossa arquibancada levanta e bate palmas. Ele sorri e aponta o dedo para a arquibancada, como se tivesse reconhecido alguém lá. Como a mãe ou o pai dele, e estivesse dedicando o jogo a eles. Só que ele faz isso ao longo da arquibancada inteira, apontando para todos. E eles aplaudem como se Reeve estivesse apontando só para eles.

Reeve Tabatsky, adorado por todos.

Estava chovendo muito naquele dia. O trajeto de volta para a Ilha Jar foi difícil, a balsa sacudia de um lado para o outro. Quando aportamos, o pai de Reeve não estava lá para buscá-lo. Ele nunca vinha buscar o filho, mas imaginei que estaria naquele dia por causa da chuva.

Vi o carro da minha mãe na mesma hora e lugar onde ela sempre parava. Timidamente, perguntei a Reeve se ele queria uma carona, mas ele disse que não. Ia esperar até a chuva amainar. Ao correr para o carro, fiquei olhando por cima do ombro. Reeve tentava ficar debaixo do toldo da bilheteria, mas a sacola com os livros estava ficando molhada. Os ombros dele também. Então se ouviu um trovão tão alto que ecoou no meu peito. Quando cheguei ao carro, perguntei se podíamos levar Reeve até a casa dele. Ela disse que sim.

Ele pareceu grato quando paramos para pegá-lo.

Reeve sentou no banco de trás.

— Tem certeza de que não é incômodo?

— Claro que não, Reeve. Estou feliz por finalmente conhecê-lo. — Não ousei me virar e olhar para ele. Estava com medo de que ele fosse dizer meu apelido a minha mãe e contar sobre como ele era mau comigo. Eu não contara nada disso a meus pais. Só contei as coisas boas.

— E se passarmos pelo drive-through do Scoops e comprarmos sorvetes? — sugeriu minha mãe.

Reuni coragem, virei no assento e olhei para Reeve.

— Você tem de ir direto para casa?

Reeve fez que não, mas sussurrou:

— Eu não tenho dinheiro.

— Tudo bem — sussurrei de volta, com um sorriso, porque sabia que minha mãe não ia mesmo deixá-lo pagar.

Mamãe escolheu o chocolate com pedacinhos que ela adorava, e Reeve pediu um sorvete de creme na casquinha. Eu geralmente pedia uma bola de hortelã e outra de amendoim, mas dessa vez pedi um arco-íris, porque a placa dizia que esse tinha menos calorias.

Quando o deixamos em casa, Reeve não correu direto para dentro, apesar de ainda estar chovendo. Ele veio até minha janela, agradeceu a minha mãe e disse:

— Vejo você amanhã! — E só então correu para dentro.

Esperamos até ele entrar e depois fomos para casa.

Não pude deixar de sorrir durante o caminho inteiro. Reeve gostava de mim. Ele era meu amigo. Tudo ia mudar.

As coisas mudaram mesmo depois desse dia. Reeve parou de correr quando a balsa chegava, deixando-me para trás. Ele esperava por mim, e íamos juntos até a escola.

Três meninas estão sentadas na minha frente, vestidas com as cores da escola secundária da Ilha Jar. Vejo uma delas inclinar-se para as outras e dizer:

— Puxa, Reeve é tão incrível.

— Ele tem namorada? — pergunta outra das meninas. — Ou ainda está ficando com Teresa Cruz?

Seguro a respiração.

— Isso já acabou — diz a terceira garota. — Rennie e Reeve estão juntos agora. Quer dizer, pelo menos acho que estão. Ouvi dizer que eles ficaram algumas vezes.

Naquele primeiro dia, Reeve foi quem consolou Rennie depois que Kat cuspiu nela. Ele até deu a camisa para ela limpar o rosto.

Será que estão mesmo juntos?

Olhei para o campo. Rennie estava subindo no alto de uma pirâmide feita pelas animadoras. Ela é tão pequena. Deve pesar, sei lá, uns 45 quilos no máximo. Fico vendo seus tênis se apoiarem nas costas das colegas enquanto ela vai mais e mais alto. Algumas delas fazem caretas.

Meninas como Rennie conseguem o que querem. Elas não se importam em cima de quem têm de pisar.

Não está certo.

Solto a respiração que estou segurando. Naquele momento, Rennie escorrega quando está tentando subir bem no topo da pirâmide. A multidão toda vê quando isso acontece. Alguns soltam exclamações. Ela cai de costas direto nos braços de outras garotas, que a baixam suavemente para o chão, incólume. Rennie parece brava por não conseguir chegar ao alto. Brava e surpresa. O resto das meninas desce da pirâmide, e Rennie grita com elas dizendo que estavam fazendo a formação errada.

Meu coração está acelerado, e respiro depressa. Sei que não fiz isso. Não posso ter feito.

Apesar de Rennie merecer. Apesar de que por apenas um segundo eu desejei que ela caísse. Mas só porque você quer alguma coisa, não quer dizer que vá acontecer.

Ou quer? Naquele dia no corredor, quando eu estava indo atrás de Reeve, eu queria tanto a atenção dele. Os armários... será que eu fiz com que se fechassem?

Recuei no meu assento e sentei sobre as mãos. Não. De jeito nenhum. Isso é impossível.

Enquanto todo mundo olha para o campo, viro e olho para a cabana no alto das arquibancadas. Um velho está sentado atrás de um microfone. O fio do microfone está conectado a uma mesa de mixagem, que por sua vez está ligada aos alto-falantes que ficam sob os beirais do telhado. Ele toma um gole de água, limpa a garganta e diz:

— Esses, senhoras e senhores, são os seus Fighting Gulls!

Ele abre a pasta à sua frente e passa o dedo pela lista de nomes. A lista que Kat e eu colocamos na pasta esta manhã, antes da primeira pessoa chegar ao estádio.

— Vamos dar um forte aplauso para nossos veteranos, que estão entrando em campo para seu último campeonato. —

Enquanto as palavras ecoam pelo estádio, Reeve, Alex e o resto dos veteranos se separam do grupo e ficam de frente para a arquibancada. As animadoras avançam e ficam respectivamente ao lado de cada um deles.

— Quarterback e capitão, o número 63, REEVE TABATSKY.

Ouvindo seu nome, Reeve sobe no banco do time e acena para a multidão, que grita de volta como se ele fosse um astro de rock ou cinema. Rennie faz uma série de giros cobrindo toda a extensão do banco.

— O *kicker*[12], número 27, PJ MOORE!

Todos aplaudem PJ, que sobe no banco com Reeve. Ele leva a perna para trás e chuta o ar. Lillia salta para trás num mortal.

Os aplausos terminam, e seguro a respiração, porque sei quem é o próximo.

— O *wide receiver*[13], número 46, ALEX LIMP[14].

Alguns aplaudem, mas a maioria ri e sussurram entre si:

— O que foi que disseram dele? "*Limp*"?

Alex inclina a cabeça, como se não tivesse ouvido direito. Está com o rosto vermelho, mais vermelho do que recentemente por causa do problema na pele. Mais vermelho do que jamais vi um rosto ficar. A menina loira que é sua animadora ergue os pompons acima da cabeça e está a ponto de fazer uma parada de mãos. Mas ela não vai adiante. Simplesmente congela.

Acho que porque Alex não subiu no banco, o anunciador repete o nome dele.

— ALEX LIMP!

Dessa vez todo mundo escuta.

[12] Jogador que chuta a bola. (N.T.)

[13] Um dos principais jogadores do ataque, que deve ser capaz de correr muito para receber lançamentos longos. (N.T.)

[14] *Limp*: frouxo. (N.T.)

Reeve se inclina para a frente, rindo muito. PJ também. Um dos jogadores ao lado de Alex bate nas costas dele. Quando Alex se vira, todo mundo vê. Na parte de trás da camiseta dele não está escrito "Lind". Está "Limp".

A brilhante ideia de Lillia. Ela trocou a camiseta dele por essa, comprada numa loja on-line que faz camisetas esportivas sob encomenda. Pagou com uma ordem de pagamento para que não pudessem descobrir quem fez a encomenda, e eles enviaram a camiseta em dois dias.

— Ó meu Deus — as meninas na minha frente gritam. — Alex Limp? Ahhhh! Que horror!

Fico olhando Lillia. Ela está cobrindo o rosto com as mãos, fingindo estar chocada. A irmã dela começara a bater palmas e pular ao redor quando o anunciador disse o nome de Alex pela primeira vez, mas agora está com os braços caídos junto do corpo. Ela dá alguns passos para trás e se esconde atrás das outras animadoras no banco.

Alex começa a girar como um cachorro correndo atrás da própria cauda, tentando ver ou pôr as mãos nas costas da camiseta. Eu começo a rir, porque é realmente gozado.

Reeve eventualmente desce do banco e tenta deter Alex, apesar de continuar a rir sem parar. Bem, talvez ele quisesse mesmo ajudar, mas acho que Alex apenas vê o amigo rindo dele, porque ele baixa a cabeça, larga o capacete e ataca Reeve, envolvendo os braços na cintura dele. Ele o derruba com força no chão.

Não tem mais ninguém nas arquibancadas aplaudindo. O time inteiro corre para onde estão os dois lutando no chão. O técnico coloca o apito na boca e sopra algumas vezes, bem depressa. O homem do microfone continua anunciando o nome dos outros jogadores veteranos, mas ninguém está subindo no banco. Eles estão todos tentando tirar Alex de cima de Reeve, estão tentando fazer com que ele pare de dar socos no rosto do outro. Vejo Alex conseguir dar um ótimo soco, bem no queixo de Reeve. Levo as mãos ao rosto.

Kat e os amigos correm até a cerca, gritando:

— Briga! Briga! Briga! — Kat sobe um pouco na cerca para tentar ver melhor.

Por fim, Alex é puxado. Reeve fica ali na grama, deitado de costas. Um dos colegas estende a mão para ajudá-lo a levantar, mas Reeve afasta a mão e levanta sozinho. Mas ele demora um pouco. O queixo dele está vermelho e inchado. E a camiseta está suja.

Alex fica um pouco distante, com Derek fazendo o que pode para evitar que ele volte a atacar Reeve. Alex está gritando alguma coisa que não consigo ouvir daqui de onde estou, e ele fica movendo o dedo com raiva na direção de Reeve por cima do ombro de Derek. Reeve não está nem ouvindo. Ele vira as costas para Alex e vai até a linha da lateral do campo. Rennie tenta chegar até lá, para ver se ele está bem, imagino, mas Ashlin a segura pelo braço. Não vai deixar Rennie ir. Dois dos treinadores correm, com expressão de preocupação, e verificam o braço que Reeve usa para os lançamentos. Ninguém vai ver se Alex está bem. Mas o treinador principal vai até lá e grita muito com Alex, deixando saliva respingar de sua boca. Derek força Alex a sentar-se no banco do time antes de afastar-se também.

— O que Alex está pensando? — exclama uma das meninas na minha frente. — Reeve é nosso quarterback. Alex poderia ter arruinado nosso campeonato inteiro!

— Aposto que ele ainda está bravo com Reeve por causa daquele negócio da Fita Vermelha.

— Coitado de Alex... — diz a terceira garota, e as três começam a rir.

O jogo começa pouco depois, e, se Reeve ficou abalado com tudo que ocorreu, ele não está demonstrando. Ele só precisa de duas ou três tentativas até acertar um passe direto na *end zone*, fazendo um touchdown[15]. Nessa altura todo mundo está aplaudindo Reeve novamente, como se a briga não tivesse ocorrido. Alex ficou no banco, parecendo bravo.

No intervalo, vou comprar uma Coca Diet, mas a fila está grande demais. Kat já foi embora. Eu vi quando ela e os amigos saíram logo depois da briga. Fico pensando se devo ficar ou não.

Passo pelo banco das animadoras. A menina que é a animadora de Alex está um pouco separada das outras, implorando com Rennie e Lillia.

— Puxa vida, por favor! — choraminga ela. — Não tem mais ninguém para eu ser animadora?

— Você está brincando? — diz Lillia, cruzando os braços.

— Por favor! Toda vez que faço minha rotina, as pessoas gritam "Vai Liiimp!".

— Não se preocupe com isso — diz Rennie. — Ele provavelmente nem vai jogar hoje.

A menina solta uma exclamação.

— E se ele for expulso do time, eu não vou ter ninguém para quem ser animadora!

Nesse momento Nadia se aproxima. Ela fala baixinho com Rennie:

[15] Touchdown é, no futebol americano, o equivalente do gol, mas vale seis pontos. Ocorre quando um jogador cruza a linha do fundo do campo tendo a bola sob controle. E dá ao time que fez o touchdown o direito de chutar contra o Y (uma imensa estrutura no fundo do campo em formato de Y que delimita a área onde a bola tem de passar) para fazer mais um ponto. (N.T.)

— Se Wendy não quer ser animadora de Alex, eu quero. Nós podemos trocar. Eu não me importo.

O queixo de Lillia cai. Ela cruza os braços outra vez.

— Ninguém vai trocar nada. Rennie pensou muito antes de decidir quem fica com quem.

— Lillia está certa — diz Rennie, assentindo com a cabeça. — O que eu digo vale. Wendy, você assumiu o compromisso com Alex. E vai seguir adiante. Se não quiser, você pode ir embora. — Ela pega um espelho na sacola junto do banco e ajeita o cabelo. — Tem cinco olheiros das faculdades observando Reeve, e eu tenho de dar o máximo por ele, sem ter de ficar preocupada com essas besteiras. Chega!

Rennie se vira e se afasta de Nadia e da outra menina. Lillia a acompanha e, quando passa por mim, assente com um leve movimento de cabeça.

Eu respondo da mesma forma. Missão cumprida. E já estava na hora, porque, honestamente, mal posso esperar para começarmos com Rennie.

Capítulo 25

KAT

Ricky, Joe e eu saímos do estádio de futebol no intervalo. Futebol americano é incrível e absurdamente chato. Vamos comer batata frita com queijo e café no Surf Diner, andamos pela ilha mais um pouco e depois peço para os rapazes me deixarem em casa.

Apesar de ser sexta à noite, termino fazendo a lição de casa só para resolver isso de uma vez. Mas também penso muito em Alex.

Aposto que ele terá problemas por causa da briga com Reeve. A mãe dele provavelmente o mandou para sua caverna masculina sem jantar e tirou-lhe o celular, ou fez alguma outra tentativa ridícula de castigá-lo. Do jeito que protege Alex, até comprando as roupas dele, fica claro que ela preferiria ter uma menina. Ela vai ficar furiosa com a briga, com certeza. Ela é toda certinha, e Alex se comportou como um animal.

Eu nunca teria imaginado que Alex é assim tão impulsivo. E definitivamente não esperava que ele batesse em Reeve. Não foi gracioso, com certeza, mas ele mirou no lugar certo e acertou no alvo. Fico pensando se devo ligar para Alex e dizer para ele colocar mais força nos punhos na próxima vez. Se tivesse feito isso, tenho certeza de que teria apagado Reeve.

Mas não vou ligar. E não vou responder as mensagens dele, nem os e-mails. Não até estar certa de que ele aprendeu a lição. De que não deve mexer comigo. De que foi um idiota ao ficar com Nadia quando poderia ter ficado comigo.

De noite, tenho a ideia de pedir a Ricky uma carona até a escola na segunda. Porque não tem nada como outro cara para fazer os garotos desejarem não ter aprontado com você. Ou, no meu caso, a ilusão de outro cara.

Foi como minha mãe acabou ficando com meu pai. Eles saíram durante alguns meses, e, como ele não queria nada mais sério, ela apareceu no bar predileto dele com seu amigo gay, Albert, com um saco de moedas para o jukebox. Foi preciso só uma música lenta para meu pai bater no ombro de Albert e tirá-la para dançar. Minha mãe era esperta assim.

Não que eu vá tentar isso com Alex. Só estou vivendo minha vida feliz, enquanto ele vive sua vida miserável.

Não é difícil imaginar Alex parado sozinho no estacionamento. Sem ninguém com quem falar, todos os amigos o condenando pela briga com Reeve. Rennie certamente ficou do lado de Reeve. Sei disso. Ele vai ser como um filhotinho perdido, um menininho sem amigos. E aí vou surgir na moto barulhenta de Ricky. Vou tirar o capacete e sacudir o cabelo, em câmara lenta.

E, puxa, como ele vai ficar arrependido.

Aposto que ele vai se aproximar. Ou bem nessa hora ou quando eu estiver no meu armário. Vai implorar para que eu o perdoe, dizer que Nadia não significou nada para ele. Que não tem garota na escola inteira como Kat DeBrassio. E uma vez que você fica com Kat, não tem volta.

Na manhã de segunda, Ricky me pega com a moto. Estou feliz por ver a moto japonesa importada que ele modificou com amortecedores de corrida para poder saltar nas dunas. É essa que eu disse que queria. Não a Vespa verde-limão. Ninguém vai achar que sou especial descendo de uma Vespa verde-limão.

Ele ergue a viseira do capacete quando saio pela porta de casa.

— Mas que droga, Kat.

Vou até ele, e meu cabelo esvoaça ao vento, no estilo de um comercial de xampu. Eu ondulei as pontas esta manhã, mas não demais, a ponto de alguém pensar que eu estava tentando melhorar minha aparência. Mais como se eu tivesse ido dormir com o cabelo molhado e acordado com esse cabelo sexy. Estou vestindo meu jeans preto bem justo, uma blusa preta, e os sapatos de salto alto pretos da minha mãe. Os saltos podem ser um pouco de exagero, mas quem se importa. E de qualquer forma, vai ter uma reunião hoje com conselheiros de admissão de algumas faculdades, então, se alguém disser alguma coisa, posso alegar que me vesti bem por causa disso.

— Obrigada por vir me buscar — digo a Ricky, e subo na traseira da moto. Primeiro passo os braços ao redor de Ricky, mas daí penso melhor, recuo e seguro no assento. É uma pose muito melhor.

— Tudo bem. Minha primeira aula é só às nove e meia. Aqui — diz Ricky, virando-se para passar-me o capacete dele. É um capacete de corrida muito bonito, com faixas vermelhas e uma viseira escura. — Coloque isso. Esqueci de trazer outro.

Eu faço que não.

— Não precisa. — Afinal de contas, a escola fica a menos de um quilômetro daqui. E não quero estragar o cabelo.

— Kat, vamos lá. — Da forma como ele fala, sei que não sairá dali até eu colocar o capacete.

Eu o coloco, e ele arranca cantando pneu. A moto faz barulho. Muito barulho. O silenciador dela foi modificado para ser assim. Eu sorrio, porque todo mundo vai nos ouvir chegando.

— Mais rápido — digo a Ricky, e coloco os braços ao redor da cintura dele. Ele seria atraente se não ficasse fumando maconha o tempo todo. Sinto a tensão em Ricky, e daí ele acelera. Ele troca de pista, entrando na contramão para ultrapassar um ônibus lento que segue na direção da escola. Mais depressa. São duas palavras que os rapazes adoram ouvir.

Ricky entra no estacionamento. Ele diz:

— Não posso acreditar que você me fez vir aqui duas vezes em três dias.

Vejo a SUV de Alex.

— Ali — digo, indicando o lugar a Ricky.

Desço da moto exatamente como planejei. Um movimento fluido. Daí tiro o capacete e balanço o cabelo.

É quando vejo Alex, encostado na porta de seu carro. Mas ele não está sozinho. Está falando com Reeve e Rennie. Na verdade, parece que é só Rennie quem fala. Ela usa muito as mãos e fica apontando para Reeve, acariciando-lhe suavemente o ombro. Aposto que está tentando convencer Alex de que Reeve não tem nenhuma culpa nas coisas que nós fizemos com ele. Ela realmente não consegue ficar fora dos assuntos dos outros.

Não sei se Alex está acreditando nela. Ele não está olhando para nenhum dos dois, mas, quando Rennie termina, ele dá a mão a Reeve, e os dois caminham juntos para a escola.

Reeve não tem um hematoma no lugar onde Alex deu o soco, o que me deixa chateada. Mas não tanto quanto saber que eles continuam amigos. E o fato de que Alex não viu minha entrada sensacional.

— Muito bem — diz Ricky. — Eu vou dar o fora.

Eu entrego o capacete para ele.

— Obrigada pela carona — digo.

Ele me olha e sorri.

— Estou às ordens — diz, e então vai embora.

— Adorei a roupinha, Kat! — Rennie grita para mim juntando as mãos na frente da boca. — Puta de moto é o visual perfeito para você!

Não tem nada que me impeça de correr até lá e cuspir outra vez na cara dela. Nessa altura, nem me importo mais com o que Alex pensa de mim. Mas não tenho de fazer isso. Rennie vai ter o que merece, não vai demorar muito. Tudo que tenho de fazer é confiar que Lillia e Mary vão me ajudar, assim como eu as ajudo.

Indo para a escola, passo pelo Jeep de Rennie, estacionado num ótimo local. Não consigo evitar. Chego junto do pneu da frente, abaixo e tiro a tampa da válvula. Vi Pat fazer isso uma vez, tirar o ar dos pneus quando ficamos presos na neve. Mas ele tinha uma ferramenta para apertar o pino da válvula. Droga!

Então me lembro: a porcaria do meu salto alto. Enfio um dos saltos na válvula. Preciso tentar algumas vezes, mas por fim escuto o ar escapando. O pneu não se esvazia tão depressa quanto eu gostaria. É mais como um vazamento lento. O sinal da escola toca, mas me ajeito numa posição mais confortável ali, abaixada junto do Jeep. Posso chegar atrasada, não tem problema.

Capítulo 26

LILLIA

RENNIE E EU DECIDIMOS IR AO CONTINENTE COMPRAR VESTIDOS PARA A festa de homecoming. Não conto para minha mãe que vamos, porque sei que ela me faria levar Nadia junto. Pego o cartão de crédito da carteira da minha mãe quando ela está no banho. Não estou roubando. Ela disse que eu podia pedir um vestido pela Internet.

Queria chamar Ashlin para ir também, mas Rennie insistiu para que fôssemos só nós duas.

Saímos mais cedo do treino de animadora para pegar a balsa das cinco. Deixamos Ashlin comandar o resto do treino com a técnica Christy. Rennie diz à técnica que vamos ajudar a mãe dela com algo na galeria. Ash nos olha desconfiada, mas não diz nada.

A passagem da balsa não é muito cara, mas ir e voltar de carro custa mais de 100 dólares. Rennie abre a carteira. Está cheia de dinheiro, um monte de notas velhas amassadas. Sei que ela estava economizando do salário de recepcionista para comprar o vestido. Ela guarda parte de cada um de seus salários para comprar o vestido.

— Não se preocupe com isso — digo-lhe, e entrego o dinheiro ao bilheteiro.

Tenho certeza de que Kat ficaria furiosa comigo por fazer isso, mas é improvável que ela venha a saber.

— Obrigada — diz Rennie uma centena de vezes, o que é gentil da parte dela.

Vamos no Jeep até o convés da balsa. A maioria dos turistas desce dos carros e vai para o convés superior para a viagem, mas nós não. Rennie e eu ficamos no Jeep, escutando rádio e folheando revistas que eu trouxe para ver vestidos. Rennie quer algo justo, de preferência com lantejoulas. Eu quero um sem alças com a parte de cima em branco. Ou bege.

Ninguém consegue percorrer um shopping center como Rennie. Eu sou levada com facilidade. Apesar de quase nunca virmos aqui, Rennie sabe onde estão as melhores lojas, e o modo mais rápido de ir de uma a outra. Nós só temos algumas horas para encontrar nossos vestidos, comer alguma coisa, voltar para o porto e pegar uma balsa para a Ilha Jar antes que fique muito tarde.

A primeira loja que visitamos é uma droga, e a segunda não é muito melhor. Ambas têm toneladas de suéteres e veludo cotelê agora que estamos no outono, mas não muitos vestidos. Ou, pelo menos, não vestidos sofisticados o suficiente para a festa de homecoming na Ilha Jar. Talvez sejam bons o bastante para as calouras, mas nunca para as veteranas. As garotas veteranas são sempre as mais bem vestidas. É basicamente uma festa de treinamento antes da formatura.

Mas na terceira loja temos alguma sorte, e tanto Rennie quanto eu terminamos com os braços cheios de muitas possibilidades. Vamos para os provadores, que ficam lado a lado.

— Sabe a nova garota terceiranista? — pergunta Rennie.

Estou com o vestido pela metade, mas paro congelada. *Mary*. Um milhão de pensamentos passam pela minha cabeça. Será que Rennie nos viu conversando no corredor? Provavelmente não, porque tomo cuidado com isso. Mas talvez ela tenha me visto assentindo para ela no jogo. Isso seria perfeito. Ter toda a coisa de Alex explodindo na minha cara depois de termos terminado.

Olho para o carpete bege. Os dedos dos pés com esmalte vermelho de Rennie estão virados para o meu lado.

— Quem? — pergunto.

— Tenho certeza de que você já a viu, Lil. Nossa escola não é assim tão grande. Mas, então, os garotos do terceiro ano estão dizendo que ela é tãããão sexy. — Pelo modo como Rennie estica o "tão", tenho certeza de que está sendo sarcástica. — Eles vão votar nela para a corte de homecoming. Mas ela não é assim tão bonita, se quer saber minha opinião. Definitivamente, não é bonita o bastante para o homecoming. Aposto que o cabelo dela nem é loiro de verdade. Deve ser tingido.

Apesar de eu ficar feliz, obviamente, por Rennie não ter percebido nada, fico incomodada com o que ela diz. Mary é bonita. Um tanto estranha, claro. Mas ela é bonita. E fico feliz também por saber que outras pessoas, garotos especialmente, notaram isso. A menina não teve uma vida das mais fáceis. Ainda não sei exatamente o que Reeve fez a ela, mas isso certamente lhe causou problemas sérios.

Escuto o ruído de tecido quando Rennie coloca o vestido pela cabeça.

— Ah! Esse aqui é lindo. Você está pronta para desfilar? — A porta de seu provador se abre e depois se fecha.

Eu corro para terminar com o vestido. Nem gosto dele. A cor não fica bem em mim. Mas saio do vestiário assim mesmo.

Rennie está no alto da escadinha, na ponta dos pés, olhando--se nos três espelhos. Vejo os olhos dela saírem do reflexo e se fixarem em mim.

— Champanhe não fica bem em você — anuncia.

— Eu sei — digo. Sento numa das poltronas superestofadas perto do espelho, porque subitamente não quero mais experimentar vestidos.

— Este aqui é lindo, mas não sei. — A voz dela soa triste. — Queria ter deixado para experimentar este no fim.

O vestido é justo, prateado e todo brilhante. É exatamente o que Rennie disse que queria. E sei que ela sempre consegue o que quer.

— Do que você está falando? — digo.

— É que é o primeiro que tentei, e sinto que, se eu comprar esse, vou estar cometendo um erro, sabe? O primeiro vestido nunca é o perfeito.

Não respondo. Apenas olho para minhas unhas.

— Lillia! — reclama ela. — O que você acha? Este é *o vestido?*

Eu comprimo os lábios, fingindo pensar.

— Sim, claro. Acho que é — digo, apesar de o vestido ficar incrível nela.

Rennie bufa, desapontada com minha apatia. Ela olha para o espelho e sorri novamente. Ela sabe que o vestido está ótimo. Não precisa me ouvir dizer isso. O que eu digo, o que eu penso, não importa nada para ela.

Ela se vira e olha o próprio traseiro.

— Acho que o que eu devia estar perguntando é se Reeve vai gostar. A opinião dele é a que mais importa, já que vou com ele.

Eu me endireito na poltrona.

— Espere. Nós não vamos todos juntos em grupo? — É como sempre foi, desde nosso primeiro ano. Nada de casais. Ninguém pede para ir especificamente com alguém. Na formatura pode ser, mas não no homecoming. Nós apenas vamos como um grande grupo.

— Não mais. Ash vai com Derek, PJ vai com aquela menina linda do segundo ano, Alice. E eu vou com Reeve.

— Você já falou com ele? — Quando isso aconteceu? Quando todos formaram pares sem me contar nada?

— Ainda não. Mas, com certeza, ele vai concordar. — Rennie ajeita o sutiã sem alça, tentando acentuar o decote. — Estou lhe dizendo, Lil. Vai ser a nossa noite. Ele vai estar incrível, eu vou estar incrível. Você viu o que aconteceu no jogo da garrafa. Fogos de artifício.

Eu sinto que começo a suar.

— Então, com quem eu vou?

Ela desce da caixa.

— Vá com Lindy — diz, antes de desaparecer outra vez no provador.

Ah, meu Deus! Ela está falando sério? Isso é tão a cara de Rennie, não levar em conta o fato de que Nadia ficou com Alex, algo que ela bem sabe, mas ainda não admitiu para mim! É de uma falta de sensibilidade inacreditável. E não há a menor chance de eu ir ao baile de homecoming com Alex, ainda que haja uma possibilidade mesmo que remota de ele gostar de mim. Especialmente depois das coisas que fiz a ele. Isso seria esquisito demais.

— Eu não vou com Alex — digo. — Eu só vou com vocês na limusine.

Do outro lado da porta, ouço-a dizer:

— Nós todos vamos estar em casais. Vai ser estranho se você for junto sem ter um par. Além do mais, Alex também não tem um par. Vai parecer que vocês são um casal de qualquer forma.

Honestamente, não dou a mínima para o que vai parecer.

— Eu disse não — digo, erguendo a voz.

— Está bem, tanto faz. Eu só estava tentando cuidar de você. Mas faça o que seu pequeno coração deseja.

Eu entro no vestiário e me forço a continuar experimentando os vestidos que escolhi. O último pode ser o bonito. É preto, uma cor na qual eu não tinha pensado, mas o modelo é bem o que eu tinha pensado. Sem ombros, com um decote acentuado de corte reto e uma saia curta e aberta. É sofisticado. Saio do vestiário e pergunto a Rennie o que ela acha.

— Com saltos altos pêssego? — pergunto.

Rennie bate com o dedo nos lábios. Pensando. Antes eu deixava Rennie decidir por mim. Se algo é bom ou não, quer dizer.

— Acho que vou ficar com este — digo. Vou prender o cabelo, decido. Desço da plataforma e volto para o provador.

Deslizo o vestido pelo corpo e o coloco de volta no cabide. É caro, mais caro do que eu esperava para um vestido preto simples. Estou parada aqui, de calcinha e sutiã, imaginando que minha mãe vai me matar, quando vejo a mão de Rennie acenando por baixo da divisória.

— Ei, deixe-me experimentar este último.

Você já encontrou seu vestido, quero dizer-lhe. *E você não pode pagar por este aqui.*

Mas eu passo o vestido a ela, visto minhas roupas novamente e espero enquanto Rennie coloca o vestido.

Fico brava porque ela fica bem nesse também. Decido então que vou definitivamente comprar o vestido.

— Este aqui é lindo — diz, admirando-se. — Qual você prefere em mim, Lil?

Eu quero gritar. Mas não grito. Claro que não. Em vez disso, mudo de assunto.

— Ei, você ouviu dizer que Melanie Renfro está, sei lá, fazendo uma campanha para valer para ser rainha do homecoming? Eu a vi falando com os rapazes do atletismo.

Rennie revira os olhos.

— Não estou preocupada com Melanie Renfro. Estou dizendo, Lil, eu já ganhei essa. — Ela inclina a cabeça para o lado, e depois aponta, decidida. — O prateado. Aquele é o vestido da rainha do homecoming.

Subitamente percebo. O melhor modo de atingir Rennie.

Durante todo o trajeto de volta na balsa, mal posso esperar para dizer a Kat que tenho o plano perfeito para a vingança dela: vamos impedir que Rennie seja a rainha do homecoming.

Quando chegamos à Ilha Jar, estou mais que pronta para Rennie me deixar em casa. Mas ela passa direto pelo meu quarteirão. Viro no assento, e ela diz:

— Vou passar pela casa de Alex. Quero falar com Reeve sobre o homecoming.

— Agora? Você não pode me deixar em casa primeiro?

— Não. — Ela coloca a mão no coração. — Tenho a sensação de que isso tem de acontecer esta noite. Vai levar cinco minutos.

Novamente. O que eu quero não importa para ela.

— Eu espero no carro.

— Entre comigo. Você pode fazer companhia a Alex enquanto falo com Reeve.

Estacionamos, e Rennie passa um minuto retocando o brilho dos lábios. Sua mão treme, ela está nervosa. Eu a sigo até a casa da piscina, com os braços cruzados. Tenho certeza de que não pareço feliz, porque não estou. De fato, estou torcendo para que Reeve a descarte.

Reeve e Alex estão no sofá, jogando *video game*. Imagino que o que aconteceu no jogo já são águas passadas. É gozado. Acho que os rapazes não sabem odiar. Tenho certeza de que Reeve disse que não tinha nada a ver com a coisa das camisetas ou da música, e Alex acreditou nele. Com alguma sorte, Alex não vai procurar o culpado.

Fico perto da porta enquanto Rennie avança e para bem na frente da televisão.

— Reevie — diz ela, num tom doce. — Posso falar com você por um segundo, em particular?

Reeve tenta olhar por trás de Rennie para a tela e, quando não consegue, ele pausa o jogo.

— Claro.

Rennie passa o braço pelo dele e o leva para o quarto de Alex.

— Já volto, Lillia!

Alex se vira e me vê.

— Ei, Lillia.

— Ei, Lindy. — Sento na ponta do sofá. O rosto de Alex quase não está mais vermelho. Acho que ele finalmente parou de usar a loção. — Sua pele está bem melhor.

Alex se vira para ficar de frente para mim.

— Rennie está pedindo para Reeve ir com ela ao homecoming, não é?

— Como é que você sabe? — digo, surpresa.

— Bem, porque Ashlin pediu a Derek hoje. E acho que PJ vai levar uma garota do segundo ano. — Noto que Alex ruboriza.

O tom vermelho vem do peito, subindo pelo pescoço. — Ninguém pediu para você ainda, certo?

Ah, não. Ah, não. Rennie provavelmente disse a Alex que pedisse para eu ir com ele! Rapidamente levanto do sofá e vou até a janela.

— Deus, eu não sei por que não podemos ir todos em grupo como sempre fizemos. Por que mudar as coisas agora? É tão idiota. Quer dizer, vamos todos ficar juntos lá de qualquer forma.

Alex vem para perto de mim. Não perto demais, mas perto o bastante. Ele assente com a cabeça, como se eu tivesse dito algo sensato.

— Sim, acho que você tem razão. — Posso ver que ele está desapontado.

Rennie sai do quarto e vem saltitando até a porta de vidro onde estou apoiada. Seu rosto está vermelho, e o sorriso enche praticamente a face inteira.

— Certo, Lil! Vamos! — canta ela.

Rennie sempre consegue o que quer. Mas não vai conseguir desta vez. Não quando mais importa.

Capítulo 27

KAT

ESTOU SENTADA NA CAMA ASSISTINDO A UM FILME NO MEU LAPTOP quando escuto alguém bater na janela. Por um momento de loucura, imagino que pode ser Alex. Shep, que está enrodilhado em cima da minha roupa suja, mal ergue a cabeça. Cachorro bobo. Salto da cama e vou abrir a janela. Não é Alex. É Lillia.

— Mas o que é que você está fazendo aqui? — digo, abrindo mais a janela. — A casa tem uma porta da frente, sabe?

Ela pula a janela, as faces vermelhas.

— É uma da manhã — lembra-me. — Eu não queria acordar seu pai. Mas eu sabia que você estaria acordada.

Lillia está usando um casaquinho curto apesar de quase não estar frio lá fora. Ela solta uma exclamação quando vê o Shep.

— Shep!

Shep pula e vai até ela. Ela se abaixa e o abraça e lhe faz carinhos nas costas e orelhas. — Shep, senti saudades!

— O hálito dele deve estar horrível agora — digo. — Ele acaba de comer um osso.

Lillia me ignora.

— Shep, você se lembra de mim! Eu certamente me lembro de você. — Meu cachorro idiota está babando nela toda e balançando o rabo.

Ela faz mais um carinho nele e vai até minha penteadeira como se fosse dona do lugar.

— Eu me lembro disso! — exclama, pegando a boneca de porcelana que minha mãe me deu quando fiz sete anos. — O nome dela é Nelly, não é?

Sim, o nome dela é Nelly. E daí? Sento novamente na cama, cruzando os braços.

— O que houve?

— Você pode, por favor, primeiro fechar a janela? Está frio.

Tenho vontade de dizer para ela ir procurar um médico, porque tem algo realmente errado com a temperatura de seu corpo. Mas preciso ser educada, então vou fechar a janela.

— Obrigada — diz ela, soprando os dedos da mão. — Então, eu tive uma ideia para sua vingança contra Rennie. É perfeita.

Fico tendo flashbacks, com a forma como ela fica tocando minhas coisas, pegando velas e as cheirando, dando corda na minha caixinha de música. Lillia adorava ficar fuçando no meu quarto e no de Rennie quando vinha passar o verão na ilha. Tipo, ela queria ver que partes de sua vida ela perdera quando partiu com a família depois das férias.

Ela se virou, um brilho dourado aparecendo na mão.

— Você ainda tem — disse ela, a surpresa clara nos olhos. É aquela estúpida correntinha com a chave que ela me deu no primeiro dia de aula no nosso primeiro ano.

Levanto e tiro a correntinha da mão dela.

— Pare de ficar mexendo nas minhas coisas — rosno.

— Só estou surpresa por você ter guardado — diz Lillia, fazendo seu rabo de cavalo ondular.

— Não fique orgulhosa. Eu apenas não fui colocar no penhor ainda — digo, jogando a corrente de volta na caixa de joias e fechando-a.

— Desde o nono ano? — diz Lillia baixinho.

A mãe de Lillia ligou para a mãe de Rennie e perguntou se ela podia ir brincar. Ir brincar, imagine. Estávamos com 11 anos, não seis. A mãe de Rennie disse que sim, e daí Rennie implorou para eu ir junto. Ela queria que fôssemos juntas de bicicleta, para podermos ir embora se ficasse chato, mas minha mãe disse que não, White Haven era longe demais. A casa de Lillia ficava do outro lado da ilha. A apenas dez minutos de carro, mas mesmo assim... nossos amigos viviam bem perto, nós corríamos para a casa uns dos outros o dia todo no verão. A casa de Lillia parecia estar em outro mundo.

Naquele primeiro dia nós brincamos na piscina durante a tarde. Rennie e eu praticamos mergulhar e fazer bala de canhão, enquanto Lillia brincava no raso e fingia ser uma sereia. A mãe trouxe a irmãzinha dela, Nadia, e ela estava com aquelas boias nos braços. A mãe dela disse:

— Eu vou fazer um lanche para vocês, meninas. Volto num instante. Lillia, você olhe sua irmã. — Mal ela entrou, Nadia flutuou até perto da parte funda, e Lillia começou a gritar. Nadia ficou assustada e começou a chorar, então eu nadei depressa e a empurrei de volta para Lillia, que estava praticamente chorando também. Ela ficou, sei lá: — Muito, muito obrigada.

Foi quando a Sra. Cho saiu com uma bandeja de bolachas com queijo Brie e Orangina. Eu me animei na hora. Minha mãe nunca comprava Brie. Ela só comprava cheddar para sanduíches e Velveeta para macarrão com queijo.

Assim que viu a mãe, Lillia saiu da piscina, correu até ela e a abraçou pela cintura.

— Nadia foi para o lado fundo, e Kat salvou a vida dela! — Depois a Sra. Cho ficou repetindo como eu nadava bem, e fiquei sem graça, mas também um pouco orgulhosa, apesar de não ter feito realmente nada demais.

Quando estávamos de volta ao lado raso e Lillia ainda estava sentada com a mãe, Rennie sussurrou:

— Vamos chamar seu pai logo. Acho que o irmão de Reeve vai levar os garotos para fazer *tubing*[16].

— Não podemos sair agora. Seria falta de educação — respondi, em voz baixa.

Mais tarde, quando a Sra. Cho e Nadia voltaram para dentro e ficamos só nós três de novo, Rennie começou a falar como mal podia esperar as aulas recomeçarem.

— Espero que a gente pegue a Sra. Harper para ciências — disse ela. — E PJ me disse que a irmã dele contou que o Sr. Lopez é o professor de matemática mais fácil.

Lembro de sentir-me mal, porque Lillia não dizia nada. Ela não conhecia nenhuma dessas pessoas.

— Como é sua escola? — perguntei a ela.

Ela disse que ia a uma escola particular só para meninas, elas tinham de usar uniformes, e era chato. Rennie fez careta e disse:

[16] Puxar uma pessoa numa câmara de ar de pneu com uma lancha. (N.T.)

— Não sei o que eu faria se não tivesse meninos na escola!

Quando o sol se pôs, a mãe de Lillia perguntou se queríamos ficar para o jantar. Ela ia fazer um dourado com molho de abacaxi e disse que poderíamos fazer *s'mores*[17] de sobremesa na churrasqueira do lado de fora. Eu estava para gritar *sim,* mas, antes que eu pudesse abrir a boca, Rennie mentiu dizendo que tinha de ir para casa.

No carro do meu pai, Rennie disse que queria ir jantar na minha casa. Não comeríamos nada tão bom quanto dourado e *s'mores*. Minha mãe estava doente, então meu pai cuidava do jantar naquela época. Pizza congelada, cachorro-quente ou chili. Eu poderia ter matado Rennie por fazer-me perder a chance de comer comida de verdade.

Mais tarde, Rennie deitou na minha cama, embaralhando minhas cartas Uno. Shep estava dormindo no colo dela. Ele era filhote naquela época, e Rennie adorava vir brincar com ele. O condomínio onde ela morava não permitia bichos de estimação.

— Quer dizer, por que alguém precisaria de três geladeiras? A família dela nem é assim tão grande! Além do mais, eles só ficam aqui três meses por ano!

— Uma é para comida coreana — disse eu, da minha rede. Outro presente do meu pai. Como se uma rede e um cachorro pudessem fazer-me esquecer que minha mãe estava morrendo. Mas tudo bem. Era realmente confortável. — E a outra é só para bebidas, lembra? A mãe de Lillia disse para nos servirmos.

— Bem, eu acho estranho.

— Ela é rica. Gente rica compra todo tipo de coisa idiota.

— Exatamente. E você não acha que ela estava se mostrando? Certo, nós entendemos. Você é uma milionária.

[17] Guloseima tradicional muito popular nos EUA e Canadá. Consiste de um sanduíche de marshmallow tostado e chocolate numa base de bolacha. (N.T.)

— Eu não acho que ela estava se mostrando — respondi. — Foi você quem quis olhar o closet dela.

— Acho que sim. — Rennie coçou uma picada de inseto na perna. As pernas dela estavam sempre cobertas de picadas. — Mas, sei lá, por que temos de tirar o sapato antes de entrar?

— Acho que é uma coisa asiática — disse-lhe. — Além disso, a casa deles é toda branca. Eles provavelmente não querem que as pessoas deixem pegadas de barro.

— Mas, sério, três geladeiras?

— Esqueça as geladeiras, Ren. — Eu saltei da rede. — E dê as cartas.

Quando Lillia nos convidou para ir novamente à casa dela alguns dias depois, fiz Rennie acompanhar-me.

— Dê uma chance a ela — disse-lhe. Eu esperava que pudéssemos ver televisão naquela imensa tela plana da sala de recreações deles, e talvez a mãe de Lillia nos desse mais Brie e nos convidasse de novo para jantar. Além disso, eu gostava de Lillia. Certo, ela era uma princesinha, mas não era culpa dela ser rica e bonita. Pelo menos, era generosa. Rennie podia ser egoísta com as suas coisas. Mas Lillia não era. Ela tinha uma caixa com todas as cores possíveis de esmalte que se pode imaginar, organizadas como um arco-íris. Quando peguei um roxo metálico chamado Black Magic Woman, ela disse que eu podia ficar com ele. Eu disse que não precisava, mas lamentei de imediato ter falado isso. Especialmente depois que Rennie pintou as unhas dos pés de Rosa Néon e Lillia disse que aquela cor nunca ficara bem nela, e que Rennie podia ficar com ela se quisesse. Calculei que Rennie ia dizer não como eu tinha feito. Mas ela não fez isso. Os olhos dela se iluminaram, e ela disse obrigada e colocou o esmalte no bolso como se tivesse medo que Lillia fosse mudar de ideia.

Aconteceu lentamente. A mudança. De mim para Lillia. A maioria das pessoas não teria notado. Eu nem sei se Rennie notou. Mas, quando se conhece alguém tão bem como eu a conhecia, dá para sentir algo assim. Quando íamos tomar sorvete no Scoops, Rennie sempre dividia um sundae de chocolate comigo, mas, depois de Lillia, ela começou a querer dividir o sundae de morango com ela. Ou quando íamos de ônibus ver um filme no cinema, e só havia dois assentos juntos, ela sentava com Lillia, e eu ficava à parte delas. Lillia me fazia perguntas, tentava garantir que eu não me sentisse posta de lado, mas aquilo só fazia eu me sentir pior. Eu não precisava da pena dela. Fora eu quem a trouxera para o grupo, e não o contrário.

E no final do primeiro verão, quando Lillia foi embora para retomar sua vida real, eu tinha certeza de que as coisas voltariam ao normal. E foi o que aconteceu. Mas, quando Lillia veio no verão seguinte, Rennie grudou nela como cola. Da forma como costumava fazer comigo. Aquilo me incomodou, mas nessa altura minha mãe estava realmente mal, e eu precisava da minha melhor amiga, mesmo que fosse só um pouquinho dela. Quando Lillia veio morar na ilha, e Rennie e eu tivemos aquela briga estúpida antes das aulas começarem, foi o fim. Estava tudo acabado.

A coisa mais engraçada é que fui eu quem começou tudo. Depois daquela primeira vez que fomos à casa de Lillia e Rennie não estava muito certa em relação a ela, eu poderia ter concordado com ela. Mas não fiz isso. Fui eu quem disse *dê-lhe uma chance*, e Rennie escutou. Naquela época eu era a única pessoa a quem Rennie escutava.

No primeiro dia da escola secundária, Lillia deixou um colar no meu armário. Era daquela loja chique em White Haven, aquela em que é preciso tocar a campainha para entrar. Ela comprou um para Rennie e um para ela também. Eram para ser colares da amizade. Que pena que a amizade já acabara.

Honestamente, não sei por que guardei o colar.

— Qual sua ideia para Rennie? — Não pareço muito interessada, porque não acho que a ideia dela vá ser boa. Quer dizer, tudo que fizemos com Alex foi bom, porque Alex é um cara sensível e é fácil mexer com ele. Com Rennie, precisaremos de coisas maiores e piores.

Lillia bate palmas como a animadora que é.

— É tão perfeito. O que é que Rennie sempre quis?

— Seios? — respondo, dando de ombros.

Ela dá uma risadinha.

— Bom, isso também. Mas não é nisso que estou pensando. — Ela faz uma pausa para aumentar o suspense. — Ela sempre sonhou em ser a rainha do homecoming. Lembra?

Balanço lentamente a cabeça, assentindo.

— Sim.

Quando estávamos no ginásio, Rennie costumava falar sobre esse tipo de coisa o tempo todo. Ser coroada rainha do homecoming, assim como aconteceu com a mãe dela. E rainha da formatura também. Rennie queria tudo.

— Ren fez parte da corte do homecoming todos os anos. Ela acha que este ano a coroa está garantida. Não é que ela tenha admitido o quanto deseja isso. Mas estou dizendo, ela quer muito, muito mesmo. Então tudo que temos de fazer é impedir que ela consiga. — Lillia bate de brincadeira no meu ombro. — Diga obrigada, Katherine. Essa é para você.

Dou risada. É a Lillia clássica, querendo crédito por cada coisinha.

— Podemos contar a Mary amanhã na escola.

— Vamos até lá agora — diz Lillia. Ela se abaixa, acaricia Shep e sussurra-lhe alguma coisa ao ouvido.

— Sério?

— Sim! Por que não? — Lillia começa a pular a janela novamente, e então para e se vira para mim. — Seu pai ainda faz parte do clube da pipoca do mês?

Ela se lembra das coisas mais estranhas. Primeiro Shep, depois Nelly, e agora o salgadinho favorito do meu pai.

— Sim.

— E qual é a desse mês? — pergunta.

— Caramelo salgado.

O rosto dela se ilumina.

— É a minha favorita! Podemos levar um pouco?

— Você sabe que não pode comer esse tipo de coisas na faculdade, certo?

— Todas as mulheres Cho têm metabolismo realmente acelerado — diz Lillia, empertigando o nariz, como se fosse algo de que se orgulhar. — Não há ninguém acima do peso na minha família. Dos dois lados.

— Está bem, está bem. Vou ver se sobrou um pouco. — Pat fumou na garagem esta noite, e ele fica com uma larica terrível. Se não tivermos pipocas, posso pegar biscoito recheado de chocolate ou algo assim.

Estamos quase saindo pela porta do meu quarto quando me lembro de uma coisa.

— Espere — digo, voltando. Procuro debaixo da cama pelo que quero pegar. O caderninho de Alex.

Lillia hesita, então eu a forço a pegar.

— Pense nisso como um troféu — digo-lhe. — Você mereceu.

Capítulo 28

MARY

Não tenho noção do tempo, mas deve fazer horas que estou no escuro. Estou deitada na cama, de olhos abertos, com o short do pijama e uma camisola. Apesar de estar cansada, e parece que faz anos desde que dormi bem pela última vez, não consigo dormir. É como se eu tivesse esquecido como se faz isso.

Então penso em meus pais, em por que Kat carrega tanto na maquiagem quando tem olhos tão lindos, o que Lillia passa no cabelo para ficar brilhante daquele jeito, e depois na prova de geometria na sexta, e, por fim, no que vestir para ir à escola amanhã. Penso em tudo que possa manter Reeve fora da minha mente. Mas nunca dá certo. É como se ele estivesse aqui comigo, neste quarto, assombrando-me.

Eu me viro de costas e olho no escuro para as vigas no teto. Preciso perguntar a tia Bette se ela conhece alguma vela, erva ou incenso especial que eu possa queimar para livrar-me dessa energia negativa. Tia Bette gosta dessas coisas new age, como purificação com fumaça, cartas de tarô, cristais. Minha mãe acha que é besteira, mas usa o anel de selenito que tia Bette lhe deu no aniversário de 40 anos. O selenito é uma pedra que supostamente traz energia positiva e curativa para sua vida. Eu provavelmente poderia usar algo assim também.

Mas sei que não posso fazer isso. Não posso pedir para tia Bette me ajudar porque daí teria de contar sobre o que aconteceu tantos anos atrás. E nenhuma de nós quer isso. Nem ela, nem eu.

Algo bate na minha janela e interrompe o silêncio. Ergo a cabeça do travesseiro e olho para o vidro segurando a respiração. Se acontecer de novo, vou olhar. Outra batida no vidro.

Nervosa, levanto e vou até a janela, olhando pela beirada da cortina de voal branco. Lillia e Kat acenam para mim lá debaixo.

Com um grande suspiro de alívio, saio de trás da cortina e aceno de volta.

— Vem brincar com a gente, Mary! — chama Lillia.

Então ouço a porta do quarto de tia Bette abrir-se. Ergo um dedo rapidamente para as meninas, pulo de volta na cama e finjo estar dormindo.

Abro os olhos só um pouquinho e vejo tia Bette abrir a porta do meu quarto, sem fazer barulho porque está descalça, e olhar ao redor. Ela está de camisola, e o cabelo longo, todo despenteado e volumoso.

Ela passa silenciosamente pela minha cama e vai até a janela. Espero que Lillia e Kat tenham se escondido. Eu preferiria que elas não conhecessem tia Bette desse jeito. Queria que ela tivesse pelo menos a chance de pentear o cabelo e passar batom. Além do mais, estamos no meio da semana. Tia Bette tem sido realmente legal, mas não quero abusar da sorte.

Tia Bette olha pela janela, sua respiração quente faz uma pequena nuvem no vidro. Daí ela fecha gentilmente as cortinas e sai do quarto.

Sei que devo esperar um pouco até ela dormir de novo, mas não quero que Kat e Lillia vão embora. Então depois de um ou dois minutos, pego um suéter e desço a escada, silenciosa como um camundongo.

Kat e Lillia estão sentadas sob nosso grande pinheiro no quintal. As duas estão encostadas no tronco. As pernas de Kat estão esticadas, e Lillia tem os joelhos flexionados e apoia os braços neles.

— Ei — digo. — Desculpem ter demorado. Minha tia...

Lillia boceja.

— Era ela lá em cima? Ela parecia... meio com uma bruxa. — Kat estala a língua, e Lillia acrescenta depressa: — Desculpe.

Fico triste por Lillia dizer isso, mas sei que ela está certa. Eu me sento junto delas. Tia Bette é certamente minha tia favorita, mas teve problemas de depressão a vida toda, de acordo com minha mãe. Não entendo por que, já que tia Bette tem tido o tipo de vida que leio nos livros. Ela viajou pelo mundo todo, vendendo quadros e encontrando todo tipo de gente interessante. Já foi muito bonita, e conhece todos os jogos de cartas que se pode imaginar. Mas, quando o período negro chega, ela vira outra pessoa. Mal consegue sair da cama em alguns dias. Foi por isso que ela veio morar conosco aqui na casa durante um verão inteiro.

— Minha mãe disse que, quando estavam na escola secundária, tia Bette podia fazer qualquer cara na praia comprar sorvete para elas. Elas nunca precisavam levar dinheiro. — Prendi parte do cabelo atrás da orelha.

Kat coloca um cigarro entre os lábios.

— Sério? — diz, e a palavra faz a chama do isqueiro dançar.

Então ocorre uma pausa longa e um tanto desagradável.

Lillia junta os dedos e sorri.

— Então, Kat e eu imaginamos um jeito de nos vingarmos de Rennie no homecoming.

— Ah! Isso é ótimo — digo, e me forço a engolir. — Ela está, sei lá, ficando com Reeve? Ouvi umas garotas falando disso no jogo.

Lillia faz que não com a cabeça.

— Não. Quer dizer, ela está definitivamente com a mira voltada para Reeve, mas não sei se ele a vê dessa forma.

— Ah — digo, endireitando as costas. — Só estava curiosa.

Kat se aproxima e diz:

— Certo, vamos voltar à vaca fria. A votação do homecoming é feita na semana do baile. Todo mundo vota, e depois os votos são colocados na caixa lacrada que eles usam para as eleições do grêmio estudantil, o que é realmente ridículo, se querem minha opinião. O que vamos fazer é abrir essa caixa e trocar votos suficientes para fazer Rennie perder a eleição. — Ela dá uma risada. — Vai ser o maior desapontamento de sua triste vidinha.

Lillia coloca as mãos no rosto.

— Mal posso esperar para ver a cara dela — diz.

— E então Lillia vence, certo? — digo.

— Não! — exclama Lillia, meneando a cabeça. — Eu não quero vencer.

— Por que não? — diz Kat, surpresa. — Rennie ia entrar em curto-circuito de inveja.

Lillia morde o lábio.

— Acho que vai ser ainda pior se outra garota tirar a coroa dela. Alguém que ela jamais imaginou que pudesse vencer. Como Ashlin, por exemplo.

— Ah, sim! Ashlin. Minha substituta. Eu sempre me esqueço dela. Ela tem alguma personalidade? — pergunta Kat.

— Ela é legal — diz Lillia, olhando feio para Kat. — E ela vai ficar feliz por vencer.

Kat ergue os ombros e dá uma tragada no cigarro.

— Está bem, tanto faz. Mas ainda precisamos de um plano para pegar Reeve. — Ela solta a fumaça numa linha longa e fina. — Você tem alguma ideia, Mary?

Eu faço que não.

— Certo — diz Lillia, pacientemente. — Bem, o que você quer que aconteça a ele? Vamos começar daí.

Eu roo uma unha e penso. Toda a raiva que tenho acumulada começa a crescer dentro de mim. Essa é uma das razões pelas quais tento não pensar em Reeve. É uma caixa de Pandora. Tenho medo de abrir a caixa e reviver tudo o que aconteceu. Mas talvez esse seja o único modo de descobrir o tipo de vingança que me fará sentir que a justiça foi feita.

Respiro fundo.

— Seja o que for, tem de ser grande. Tem de ser cruel. Tem de ferir Reeve tanto quanto ele me feriu — digo. Se é que isso é possível.

Kat e Lillia se entreolham, chocadas com a minha intensidade, acho. Sei antecipadamente o que Lillia vai dizer.

— O que ele fez a você? — pergunta ela, a voz quase num sussurro.

— Você pode confiar na gente — diz Kat. — Não vamos contar a ninguém.

Lillia passa o cabelo por cima de um ombro e faz uma pequena cruz sobre o coração.

— Eu juro.

Abaixo o queixo até o peito e deixo o cabelo cair sobre o rosto. Sei que tenho de fazer isso. Tenho de contar toda a história a alguém.

Ergo a cabeça e molho os lábios.

— Reeve tinha um apelido especial para mim. — Sinto as palavras virem à minha boca, quentes e metálicas. — Big Easy.

Posso ver pelas pequenas rugas que aparecem no rosto de Kat que ela estava esperando algo pior.

— E por que esse apelido?

— Eu era diferente no sétimo ano. Eu era gorda. E nós estávamos estudando sobre Nova Orleans na aula de Estudos Sociais.

— Sério? Você era gorda? — A surpresa de Lillia é quase um elogio.

Concordo com um movimento de cabeça e puxo as mangas do suéter até os cotovelos.

— Eu era realmente imensa.

— Então ele ficava fazendo piadas com você — diz Kat, torcendo o lábio superior. — Isso é tão Reeve.

Eu me viro e olho para a janela do meu quarto, para ter certeza de que tia Bette não está olhando. Não tem ninguém na janela. As cortinas continuam fechadas. Olho de volta para as meninas e continuo, cuidando para manter a voz baixa. — Vocês lembram que eu contei que Reeve e eu frequentávamos o Belle Harbor Montessori, certo? Bem, nós éramos os dois únicos da Ilha Jar na nossa classe, então tínhamos de pegar a balsa para ir e voltar todo dia. Eu tentava ficar longe dele, porque não nos demos bem desde o primeiro dia.

Daí conto para elas a história daquele primeiro dia no refeitório, quando Reeve fez a piada sobre eu comer o que ele deixou do almoço. Como ele fez com que ninguém quisesse ser visto em público comigo. Kat e Lillia não interromperam, mas às vezes soltavam uma exclamação ou balançavam a cabeça. Cada resposta é um pequeno encorajamento que me ajuda a continuar falando. Eu conto sobre o dia do canivete e também sobre quando fomos tomar sorvete.

— Depois disso nós entramos numa espécie estranha de... — Eu levo um segundo para achar a palavra certa, mas nenhuma parece encaixar, então escolho "amizade", apesar de não ser exatamente isso. — Os momentos na balsa eram por assim dizer nosso período de trégua. Reeve costumava dizer *nós ilhéus temos de ficar juntos, não é, Big Easy?*

— Espere aí! — exclama Kat. — Espere. Você o deixava chamá-la de Big Easy na sua cara? — Ela está brava e inclina-se para a frente.

É difícil olhar para ela.

— Era diferente quando estávamos na balsa, só nós dois. Por algum motivo, não soava tão mal. — Puxo o suéter, embrulhando-me nele. — Mas, quando chegávamos ao continente, as coisas mudavam. Ele não falava comigo em público a menos que fosse para fazer piada.

— Que canalha de duas caras — diz Kat. — Ele é pior que Rennie! — Ela apaga o cigarro no chão e acende outro imediatamente.

Lillia fica olhando para mim, sem piscar.

— Por que você o deixava fazer isso, Mary?

— Porque ele me contava coisas — digo. — Ele reclamava do pai, que acho que era alcoólatra degenerado. Ele contava como o pai gritava com ele e com seus irmãos quando bebia. Eu sentia pena dele.

— Você sentia pena *dele?* — diz Kat, sem acreditar.

— Ele odiava o pai. Ele disse que o sonho dele era conseguir uma bolsa numa grande universidade e nunca mais voltar à Ilha Jar.

Lillia dá uma risada.

— Bolsa? Reeve só tira B e C! Ele só consegue A em esportes.

Kat balança a cabeça.

— Você não sabe porque não cresceu aqui — diz ela a Lillia. — Reeve era o aluno mais inteligente da nossa classe. Lembro-me de ele sendo mandado para aquela escola chique com uma bolsa de estudos. Foi uma grande conquista, porque a família dele não tinha como pagar. Nossa professora fez uma festa de despedida para ele com bolinhos e tudo mais.

— Não é que eu fosse especial para ele, ou algo assim — expliquei. — Nós só estávamos passando o tempo juntos. Eu sabia como os outros garotos da escola se esforçavam para conseguir a atenção dele. Todo mundo era um pouco apaixonado por Reeve. Acho que eu sentia algum tipo distorcido de orgulho por passar algum tempo com ele todo dia.

Lillia murmura, mas Kat diz:

— Lil, você tem de admitir que Reeve é um canalha, mas pode ser bem charmoso quando quer ser.

— Está bem — concede ela. — Acho que posso ver isso.

Olho para a terra e digo, cheia de culpa.

— Eu me deixei convencer de que havia algo verdadeiro entre nós dois, que eu o conhecia de um jeito que ninguém mais conhecia. Mas, na verdade, o Reeve que eu pensava conhecer não existia. Ele só estava me manipulando, fazendo-me baixar a guarda, para poder me ferir ainda mais.

Antes que perceba, estou chorando. Acho que porque sei o que aconteceu depois. A história que nunca contei a ninguém.

O vento fica subitamente mais forte, como se uma tempestade fosse fazer o céu desabar em cima de nós. Meu cabelo bate no rosto, dando agulhadas nas faces. Lillia puxa o zíper do casaco; Kat enfia as mãos dentro das mangas. Nenhuma de nós se move.

Uma voz dentro de mim diz para eu parar de falar, porque, uma vez que tenha contado a Kat e Lillia, não terá volta, não vou ter como fingir que não aconteceu. Mas engulo o medo e continuo, porque parece que se eu guardar esse segredo por mais um segundo que seja ele vai subitamente me matar.

Eu não esperava ver Reeve naquela tarde. A Sra. Penske reteve alguns de nós depois da aula para discutir os planos de um mural que íamos pintar no ginásio. Perdi a balsa das três e calculei que pegaria a das três e meia. Mas Reeve também ficou, jogando basquete com alguns dos amigos. Quando cheguei perto da cerca, Reeve enterrou a última bola, e todos começaram a pegar seus livros e vestir suas jaquetas. Reeve me viu. Continuei andando até a água, porém mais devagar que antes, e por fim ele me alcançou.

Estávamos quase no cais quando um bando de garotos com os quais ele estava jogando veio correndo atrás de nós. Eles estavam com um caderno nas mãos, um caderno que aparentemente Reeve esquecera na quadra. Quando nos viram juntos, ficaram espantadíssimos. Reeve e Big Easy andando juntos? Não fazia sentido.

Reeve não me disse nada, mas subitamente acelerou o passo. Eu também andei mais depressa, para alcançá-lo. Os meninos gritaram.

— Ei Reeve! Você esqueceu seu caderno! — Mas Reeve fingiu não ouvir. Ele praticamente correu o resto do caminho até a balsa, como se tivesse medo de que ela partisse sem ele.

Os carros e caminhões já tinham subido ao convés, e só faltavam as pessoas, alinhadas para subir pela ponte de embarque. Reeve e eu ficamos no fim da fila, ele na frente, e eu atrás. Daí os garotos da classe chegaram e pararam perto de nós. Eles entregaram o caderno a Reeve, e Reeve murmurou um obrigado. Eles começaram a ir embora.

Não sei de onde veio esse surto de coragem. Talvez do fato de que as coisas estavam bem entre nós. Talvez porque eu quisesse fazer Reeve admitir o que vinha acontecendo. Talvez porque eu pensasse que ele não ligava realmente para o que aqueles garotos pensavam dele, o que eu sabia pelas nossas conversas.

Havia uma coisa que eu sabia com certeza. Reeve começara a coisa de Big Easy, e isso se espalhara como fogo no capim seco. Mas, se ele mostrasse a todos na classe que éramos amigos, eu sabia que o apelido ia sumir igualmente depressa. Isso mostra como ele era importante para todos os outros.

Dei um passo à frente para ficarmos lado a lado.

— Sabe de uma coisa? Nós somos amigos! — gritei tão alto para os garotos quanto consegui. Daí passei o braço pelo ombro de Reeve e sorri para ele.

Reeve olhou para mim sem acreditar. Mas, quando se deu conta, ficou furioso.

— Saia de perto de mim! — gritou. E então ele me empurrou. Suas mãos foram direto no meu peito, e, colocando toda a força no movimento, ele me empurrou na direção dos garotos.

Sua força era inacreditável. Eu não tive a menor chance. Meus tênis derraparam nas tábuas. Os meninos saíram rapidamente do caminho, revelando a beirada do cais. Eu tentei apenas cair, para evitar ser jogada na água, mas acabei voando para trás. No último instante abri os braços e tentei segurar-me à lateral da doca, e farpas entraram nas minhas mãos. A dor me fez perder o fôlego, e dei um último suspiro antes de cair na água.

Estava tão fria que eu mal consegui me mexer. Eu sabia que minhas mãos estavam sangrando pelo tanto que ardiam apesar do frio da água. Eu podia ouvir a risada deles lá em cima.

— Olha, parece um peixe-boi!

— Ei, peixe-boi, precisa de uma rede?

— Nade, nade para a costa, peixe-boi!

Bati os braços e chutei com as pernas, tentando me manter na superfície. Mas as roupas pesavam cem quilos, e eu mal conseguia ficar com a cabeça para fora da água. Estava tentando respirar e engolia água salgada.

Os trabalhadores da balsa vieram correndo, e um deles atirou uma boia. Foi preciso dois deles para me puxar para cima. Os passageiros da balsa foram até a beirada do cais para assistir à cena.

Assim que subi para a terra, vomitei dois litros de água salgada. Foi quando os meninos por fim pararam de rir. O único que não estava lá era Reeve.

Minhas mãos estavam sangrando, minhas roupas, encharcadas, duras e cobertas de areia, e havia vômito nos meus sapatos. Levou um minuto até perceber que minha camiseta branca estava completamente transparente, grudada em cada uma das dobras do meu corpo roliço. Comecei a tremer, mas não foi de frio. Eu estava para perder o controle. E então eu perdi. Comecei a chorar e não consegui mais parar.

Um dos trabalhadores da balsa me levou para dentro e me deu um cobertor. Ele saiu e retornou com um pacote de toalhas de papel. Tentei me secar com elas, mas, assim que ficavam molhadas, elas se desintegravam em polpa de papel.

Eu estava soluçando o tempo todo.

Reeve também estava lá, dentro da balsa. Ele sentou na primeira fileira, perto das janelas, no assento onde havia entalhado seu nome. Ficou olhando direto para a frente, para a Ilha Jar lá adiante, na distância. Ele não olhou para mim, nem para o que fizera. Não olhou para trás nem uma vez. Por mais que eu chorasse.

Quando chegamos à Ilha Jar, Reeve saiu depressa. Eu esperei os outros passageiros desembarcarem, e então me esgueirei para fora e me escondi atrás de uma perua de entrega que estava para embarcar para o continente. Podia ver minha mãe dali. Quando Reeve passou correndo, ela acenou para ele. Ele não acenou de volta, apenas fingiu não vê-la.

Se ela não me visse, sei que ficaria e esperaria que eu viesse na próxima balsa. Eu não podia suportar a ideia de ela me ver daquele jeito. Eu não queria que ela soubesse que o garoto sobre quem eu falara tanto, o garoto que levamos para tomar sorvete naquele dia de chuva, fizera aquilo comigo.

Decidi ir andando até em casa, trocar de roupa e fingir que chegara na balsa seguinte. Ela não saberia nunca o que ocorrera. Nem meu pai.

Abaixei-me e fui me escondendo atrás dos carros. Assim que saí do estacionamento, subi a encosta até em casa, meus tênis fazendo aquele barulho de molhado a cada passo. Tudo em que conseguia pensar era em como ele fora fingido todas as vezes em que estávamos sozinhos. Agindo como se ele se importasse comigo. Como se fôssemos amigos. Não podia imaginar vê-lo na manhã seguinte. Não só pelo que ele fizera comigo, como também porque sabia que jamais conversaríamos como antes. Por mais patético que fosse, Reeve era o único amigo que me restava.

Fui para o meu quarto e abri o armário pensando em trocar de roupa. De verdade. Mas em vez disso me vi olhando para as vigas no teto. Daí peguei uma corda no porão e, depois de algumas tentativas, consegui passá-la por uma viga e fazer um laço. Arrastei minha cadeira da escrivaninha até lá e coloquei o laço no pescoço. Então dei um grande passo, saí da cadeira e fiquei pendurada.

Mas, assim que caí, percebi que não queria morrer. Comecei a lutar, chutando com as pernas tentando alcançar a cadeira. Mas a corda estava tão apertada, e eu não conseguia respirar. Meu peso me fez balançar como um pêndulo, e meus pés ficavam batendo na parede. Eu estava a ponto de apagar, de perder a consciência.

Felizmente, minha mãe decidiu ir para casa. Ela ouviu o barulho dos meus pés batendo na parede e foi ver o que estava acontecendo. Ela gritou quando me viu. Então conseguiu baixar meu corpo, retirou a corda do meu pescoço e me deixou deitada no chão enquanto ligava para a emergência, depois ficou acariciando meu cabelo até os socorristas chegarem.

•••

Kat e Lillia olharam para mim, horrorizadas.

— Assim que meu estado se estabilizou, meus pais me transferiram para outro hospital, um bem longe da Ilha Jar. Fiquei um ano inteiro fora da escola, fazendo terapia e essas coisas. Tive de viver num hospital psiquiátrico durante meses, tentando convencer os médicos e enfermeiras de que eu não queria mais me matar. E a verdade é que não queria mesmo. A única coisa que me fez seguir adiante foi o pensamento de voltar aqui um dia e fazer Reeve pagar por isso.

Soltei a respiração, e já estava me sentindo mais leve, só um pouquinho mais leve.

— Bem, é isso — diz Kat. — Temos de matar Reeve.

Não sei se ela falou brincando ou não. Espero que tenha sido de brincadeira.

— Não quero matá-lo — digo, para deixar bem claro. — Só quero que ele sinta um pouquinho da dor que eu senti. — Nem sei se isso é possível.

— Vamos ajudá-la, Mary. Vamos fazê-lo pagar pelo que fez. — Lágrimas estão correndo pelo rosto de Lillia, mas há fogo em seus olhos.

— Obrigada — murmuro.

As pernas de Kat estão tremendo.

— Quero ir à casa de Reeve agora mesmo e dar um soco na cara dele. Mas sei que podemos fazer algo melhor, machucar aquele idiota muito mais se tivermos paciência e planejarmos bem. Temos de derrubar Reeve Tabatsky para valer.

Lillia enxuga os olhos.

— Então, o que vamos fazer?

— Você é quem o conhece melhor — diz Kat. — Com o que ele mais se importa?

— Futebol — diz Lillia, automaticamente. — Ele se importa com o futebol mais que tudo.

— É isso! — grito. — Mesmo no Montessori ele costumava falar sobre como ia ser um grande astro do futebol quando chegasse à escola secundária!

— Feito! — diz Kat. — Vamos fazê-lo sair do time.

— Como? — pergunto. Isso é possível? Reeve é o quarterback, a grande estrela. Não há time sem ele. Até eu sei disso.

O rosto de Lillia se ilumina.

— Drogas! A Ilha Jar tem uma política muito rígida, de tolerância zero, para com drogas. Desde que aquele garoto da

Menlow High foi pego fumando maconha, nossos técnicos têm nos observado com muita atenção, para garantir que nenhum de nós faça nada estúpido. Se conseguirmos colocar drogas no armário de Reeve ou algo assim, ele será tirado do time com toda certeza, mesmo sendo o quarterback.

— Mas e se ele disser que as drogas não são dele, e a escola acreditar? — digo. — Ele pode pedir para fazerem um exame para provar.

— Acho que vamos ter de fazê-lo tomar drogas sem perceber, — diz Kat. — Ácido ou ecstasy ou algo que o faça viajar.

Uma coisa é colocar drogas no armário de alguém, e outra bem diferente é drogar o sujeito. Olho para Lillia, esperando que ela proteste.

Mas ela não protesta. Ao contrário, ela concorda.

— Vamos fazer isso no baile de homecoming, quando todo mundo estará vendo. Ele com certeza vai ser o rei do homecoming. Podemos derrubar ele e Rennie ao mesmo tempo. — Então, enrolando o cabelo no dedo, ela diz: — Ele pode até ser expulso. Daí você nunca mais vai ter de se preocupar com ele, Mary.

— O que você acha? — pergunta-me Kat. — Esse é o seu negócio.

— Vamos em frente — digo. Dou um beliscão forte na minha mão, na pele entre o polegar e o indicador, só para ter certeza de que não estou sonhando.

Capítulo 29

KAT

É SEXTA À NOITE. TODOS DA ESCOLA, E AS MÃES, SAÍRAM DA ILHA PARA O primeiro jogo fora de casa, e estou no cais da balsa, esperando o traficante de drogas do meu irmão chegar às oito. É tão perfeito que é quase clichê. Se pelo menos tivesse alguém aqui para tirar uma foto para o anuário da escola[18]. Kat DeBrassio: a que provavelmente drogou o quarterback.

Estou encostada num pilar do cais. Estou fumando um cigarro quando a balsa chega nas ondas negras. Bem na hora.

Toco no volume que o dinheiro faz no meu bolso da frente. Sessenta dólares em notas de cinco e de um, o bastante para duas pílulas de ecstasy. Não me dei ao trabalho de pedir o dinheiro a Mary, porque, depois da história que ela nos contou, não me

[18] Nos Estados Unidos, é tradição, ao final do ensino secundário, fazer-se um livro com fotos de todos os formandos acrescidas de breves comentários sobre as qualidades de cada um e o que se espera deles no futuro. (N.T.)

sentiria bem deixando-a pagar. Mas pedi a Lillia. Encontramo-nos no banheiro feminino esta manhã. Ela abriu o zíper de sua linda bolsinha cor-de-rosa e tirou dela uma carteira também cor-de-rosa, porém menor, da qual abriu o zíper também. Tudo que havia lá dentro era o protetor labial, um gloss Chanel dourado chamado Glimmer, a cor sempre usada por Rennie, sua carteira de motorista, um pacote de jujubas vermelhas e dois cartões de crédito.

Eu disse a ela que traficantes não aceitam cartão.

Lillia ficou desconcertada, percebi, e prometeu que me pagaria depois. Disse que ela podia comprar um pacote de cigarros para mim ou talvez alguma coisa para meu barco, mas daí ela começou a choramingar, dizendo que sua mãe confere tudo que ela gasta todos os meses, então eu lhe disse para esquecer. Tirei o dinheiro do que economizei com meu trabalho no verão. Que se dane. Não são 60 dólares a menos que irão arruinar minha poupança para a faculdade.

Quando Lillia entrou numa das baias para urinar, abri sua bolsa e peguei o precioso gloss de Rennie. Que exibida! Ela provavelmente gastou metade do que ganhou num dia para comprar isso. Assobiando, joguei o brilho na lata de lixo.

Carros estacionados no convés acenderam os faróis e desceram da balsa. Fiquei olhando outros passageiros, homens de terno, faxineiras, pessoas com uniformes de supermercados, descerem pela prancha. Ela está iluminada por pequenas luzes brancas de Natal.

Fico brava quando não vejo Kevin, mas ele é o último a descer. Está vestindo a mesma jaqueta jeans surrada de sempre. Acho que ele a tem desde que tinha a minha idade. Ele vem andando, para no meio do caminho para acender um cigarro e depois segue em frente.

Eu me afasto do pilar e vou até ele. Ele olha primeiro para meus seios, depois para meu rosto. Típico de Kevin.

— Kat? — diz ele, franzindo os olhos no escuro. — É você?

— Ei — digo, e enfio as mãos nos bolsos de trás. — Pat me mandou pegar o negócio dele.

— Ah, ele mandou mesmo? — Kevin segura o cigarro entre os dentes e ri secamente.

— Sim — confirmo, tentando esconder o fato de que estou mentindo descaradamente. Enquanto Pat estava no chuveiro, usei o celular dele para mandar uma mensagem para Kevin pedindo as drogas. Os amigos de Pat, e os meus também, usam o Kevin. Geralmente para maconha. Ele vem para a ilha toda sexta para fazer entregas aos seus clientes. Apesar de Pat me deixar fumar com ele às vezes, ele me mataria se soubesse que chamei Kevin para comprar algo mais pesado. — Pat está na oficina, trabalhando na moto dele. Ele resolveu economizar e comprou um motor de arranque recondicionado, e não consegue fazer o negócio funcionar. Eu disse para ele devolver a porcaria e pegar um novo, mas você sabe como ele é. De qualquer forma, ele me pediu para vir aqui. — Pelo modo como falei, fica parecendo que estou reclamando do meu irmão.

— Pat não me parece o tipo de cara que gosta de ecstasy.

Não sei se Kevin está desconfiando de alguma coisa ou só tentando puxar papo. De qualquer forma, tenho de pensar depressa, porque Kevin está certo. Pat gosta de erva, só de erva.

— Ele finalmente está ficando com uma garota — digo. — Só que ela não é bonita. Então... talvez ele precise de ajuda.

Kevin ri muito disso, tanto que começa a tossir. Então ele ergue os braços para o alto.

— Bem, não consegui o E comum com meus fornecedores. Então peguei do tipo líquido. É melhor eu ligar para aquele filho da puta e ver se não tem problema.

Ecstasy líquido? Eu nem sabia que isso existia. Vai ser ainda mais fácil para Lillia colocar na bebida de Reeve.

— Funciona da mesma forma que o comum?

— Na verdade, é mais forte. — Kevin vai pegar o celular.

— Legal. Sei que Pat vai gostar. — Pego rapidamente o dinheiro no bolso e o entrego a Kevin, antes que ele comece a discar.

Ele olha feio para mim.

— Aqui não — rosna, olhando depressa por cima dos dois ombros. — Ande comigo.

Então coloco o dinheiro de volta no bolso e o sigo para a cidade, sentindo-me idiota. Vamos até o restaurante onde Rennie trabalha, o Bow Tie, e seguimos até a porta de trás, onde fica a cozinha. Dá para ouvir todo tipo de barulho de restaurante lá dentro, louça sendo lavada, pratos e panelas batendo, gente fazendo pedidos. Imagino que Kevin quer fazer o negócio aqui, porque é bem escuro. Vou pegar o dinheiro novamente, mas ele não deixa e pergunta:

— Qual é a sua bebida, Kitty Kat?

Nojento.

— Eles não vão me servir nada aqui.

— Eu faço negócio com alguns dos barmen. Vai ficar tudo bem. Então... deixe-me adivinhar. — Ele me olha de cima a baixo. — Você é uma garota do tipo Sex in the Beach.

Eu reviro os olhos.

— Uísque — digo.

O rosto dele se ilumina.

— Não saia daí.

— Espere. Podemos fazer o negócio aqui? Eu tenho de voltar. Não quero que Pat fique bravo.

— Fique comigo esta noite, e eu não conto a seu irmão que você está comprando E de mim e usando-o para se acobertar. —

Ele suspira e olha ao redor. — Essa ilha é tão entediante. Não sei como as pessoas moram aqui. Vamos. Faça-me companhia. Você é a irmãzinha do meu amigo, então não vou tentar nada. Ei, eu posso até dar um desconto de cinco paus. Vamos, Kitty Kat. O que mais você pretende fazer esta noite?

Não pretendo fazer nada, mas não é esse o ponto. Eu só quero pegar meu ecstasy e voltar para casa, e não fazer companhia a Kevin enquanto ele faz a entrega de suas drogas. Mas vou topar, pela equipe. Por Mary.

— Está bem, combinado.

Espero enquanto Kevin entra na cozinha. Ele sai alguns minutos depois com dois drinques. Uma cerveja para ele e um uísque para mim. O copo é pequeno, mas está cheio até a borda com o líquido marrom. Duvido que seja da prateleira do alto. Deve ser dos mais baratos.

— Eu gosto com gelo — digo, só para ser chata. Quando pego o copo, parte do uísque cai pela beirada sobre meus dedos. Eu lambo tudo.

Kevin sorri com o canto da boca.

— Você é uma gatinha bem ousada, não é?

Flertar com Kevin me dá náuseas, mas sei que é o que tenho de fazer para conseguir o que quero. E que se dane. Eu sou boa nisso. Solto um chiado e finjo arranhar o rosto dele com minhas garras.

Fico esperando Kevin sentar em algum lugar com sua cerveja. Mas ele começa a se afastar do restaurante. Ele enfia a cerveja pela manga da jaqueta jeans.

— Próxima parada, Casa de Repouso da Ilha Jar. — Imagino que eu tenha torcido o nariz, porque ele diz: — Tenho alguns pacientes de glaucoma lá que precisam de maconha.

Imagino que seja uma espécie de *mitzva* ou algo assim. Ajudar pessoas doentes a fumar. É quase nobre.

— Está bem — digo. Tomo um gole do meu uísque e vou atrás dele. — Não queremos fazer os vovôs e vovós esperarem.

Passo duas horas com Kevin e depois volto com ele até a balsa. A ilha parece morta, e eu não tenho nada para fazer, por isso decido dirigir até Middlebury e parar na casa de Mary. Ela fica aparecendo na minha mente, depois daquela história que nos contou. Pobrezinha. É mesmo um milagre que ela não tenha alguma desordem pós-traumática ou alguma outra porcaria dessas.

Estaciono diante da casa dela e subo os degraus da frente. Há uma luz suave na sala e o brilho de uma televisão. Aperto a campainha e espero.

O volume da televisão abaixa, mas ninguém vem até a porta. Aperto a campainha de novo, daí me inclino para olhar pela janela.

A casa parece estar desocupada, como se tivesse sido deixada às pressas no final do verão. Há um telescópio caído no chão. Uma poltrona coberta com um lençol. Pilhas de correspondência sem abrir ameaçando desabar a qualquer momento, alguns jornais e catálogos. E cerca de dez grandes sacos pretos de lixo lotados com Deus sabe o quê.

Então a tia de Mary passa rapidamente pela janela, como se estivesse tentando se esconder. Sinto um arrepio nas costas ao me afastar do vidro. Olho para cima, para o quarto de Mary. A luz está acesa, mas se apaga no mesmo instante.

Eu praticamente corro escada abaixo e volto para meu carro.

Capítulo 30

LILLIA

Na segunda de manhã o Sr. Peabody nos entrega as cédulas de votação para o baile de homecoming no início da aula.

Não há nenhuma surpresa. Lá está Rennie, que é obviamente a favorita. Mesmo que ela não estivesse fazendo uma campanha tão intensa, ainda assim seria a favorita. Ela é a rainha da escola, como sempre sonhou ser. E tem também o meu nome. Qualquer um que votaria em mim vai votar em Rennie. Até minha irmã. Tem Melanie Renfro, que todos sabem que é uma putinha e que decerto conseguira o voto de alguns rapazes. Carrie Pierce, que faz teatro e basicamente só foi indicada porque as pessoas queriam uma rainha de homecoming "alternativa". Por fim, tem Ashlin. Ashlin quer ganhar quase tanto quando Rennie, mas jamais diria isso, pelo menos não em voz alta. Ela não ousaria. Ashlin vai conseguir um bom número de votos, porque ela é legal com todos. Na frente deles, é claro. Ela nunca venceu Rennie em coisa alguma. Até agora. Eu, na verdade, estou feliz por ela, porque vai conseguir vencer Rennie desta vez.

Estou para colocar um X no nome de Rennie quando, ao meu lado, ela ergue a mão.

— Sim, Miss Holtz? — diz o Sr. Peabody. Ele está com os braços cruzados, e já parece deliciado. Os professores adoram Rennie. Eles a consideram muito animada, uma bola de energia.

— Posso dizer uma coisa, senhor Peabody? — Ela não espera que ele diga sim. Vira-se no assento e olha para o resto da classe. — Antes que todos votem, gostaria de lembrá-los de uma coisa. A rainha do homecoming não é um concurso de beleza, e não é sobre popularidade. É uma questão de dedicação, de espírito escolar e de tornar este um lugar melhor para todos estudarem.

Como se planejar festas a que nem todos são convidados tornasse a escola melhor. Ugh. Ela é tão transparente, não posso acreditar que os outros não vejam através dela.

Rennie baixa os cílios, fingindo humildade.

— Então, por favor, pensem nisso quando votarem, vocês todos. — Assim que ela termina de falar para o público, sussurra para mim: — Eu já ganhei.

— Ninguém merece mais que você — sussurro de volta, mostrando-lhe meu voto no nome dela.

Ela estende a mão e me dá um apertão no joelho.

— Você é a maior, Lil.

Minhas meias 7/8 ficam caindo. Eu queria usar um colant ou legging, mas Rennie fica dizendo que meias 7/8 são parte da tradição do pó de arroz. Perguntei se podia deixar isso apenas para o jogo. Isso aqui é só um treino. Mas não.

Como sempre, esse jogo de futebol americano das veteranas ocorre na véspera do homecoming. Nesse dias os rapazes veteranos se vestem de animadoras de torcida.

Assim que ficamos sabendo que Reeve será o treinador de um time, e Alex, de outro, Rennie se candidatou para ser capitã do time de Reeve. Ashlin ficou sendo a outra capitã e venceu no cara ou coroa. Eu estava rezando para ela me escolher, e ela o fez. Obviamente, odeio Alex, mas Reeve é desagradável. Eu costumava pensar que o ego dele, todo pose, era só atuação. Ninguém podia ser assim *tão* convencido. Mas agora sei que é tudo verdade. Fico imaginando se ele pensou em Mary uma só vez desde aquele dia. Se ele percebeu o inferno pelo qual a fez passar. Duvido. Duvido que sequer se lembre do nome dela. Honestamente, acho que a morte seria algo bom demais para aquele monstro.

Do outro lado do campo, Reeve sopra o apito. Vejo-o jogar a cabeça para trás e gritar:

— Suicidas! Eu quero suicidas, cara! — Ele está adorando isso. Obviamente, o time deles vai vencer, já que Reeve é o Mister Futebol, e ele e Rennie são extremamente competitivos.

Alex nem tem um apito. Nosso treino é basicamente só ficar jogando a bola umas para as outras, deixando-a cair mais do que pegando-a direito. Ashlin solta um gritinho toda vez que a bola chega perto do rosto dela, e eu não consigo segurar uma delas com uma só mão. Não entendo por que não podemos usar a grade de proteção nos capacetes. Alguém pode se machucar.

— Meninas! — diz Alex, batendo palmas. — Vamos dar algumas voltas correndo para aquecer, está bem? Daí vamos treinar algumas jogadas.

Algumas das meninas obedecem, mas eu o ignoro e jogo a bola para Ashlin outra vez. A bola cai longe dela, e Ashlin corre até lá.

— Desculpe! — grito.

Alguém bate no meu ombro. Eu me viro. É Alex.

— Cho. Preciso falar com você por um segundo.

Eu mal consigo olhar para ele. Ontem eu o vi conversando com Nadia no pátio. Senti-me bastante estúpida por ter quase desistido do plano da camiseta Limp. Na verdade, até gostaria que tivéssemos feito mais coisas com Alex. Mas não está mais na minha vez.

— Hum, estou tentando treinar — digo.

— Agora! — rosna ele, e sai andando depressa na direção dos bancos.

Faço uma cara para Ashlin, ela dá de ombros e corre atrás das outras meninas na pista.

Sigo Alex até os bancos e cruzo os braços.

— Sim, treinador? — digo da forma mais desagradável que consigo.

Com a voz baixa e tensa, ele pergunta:

— Qual seu problema comigo?

Eu olho para ele. Pensei que ele ia gritar comigo por não estar correndo.

— Não tenho nenhum problema com você, treinador — digo, mas estou feliz por ele ter percebido que estou brava. — Posso ir agora?

— Pare de me chamar de treinador! Pensei que fôssemos amigos, mas ultimamente você está agindo como se me odiasse. Eu não entendo.

Alex é assim idiota? Eu provavelmente não devia dizer nada, mas não consigo me controlar. Olho em volta para ver se tem alguém por perto.

— Você quer ser meu amigo? Eu lhe digo como. Não ligue mais para a minha irmã. Melhor, não fale nunca mais com ela.

— Alex abre a boca como se fosse se defender, mas eu continuo. — Não venha à minha casa no meio da noite e a faça sair escondido, não lhe dê álcool nas festas, não...

— Você entendeu tudo errado! Eu não dei nenhum álcool para ela.

— Alô! Eu encontrei a blusa dela. E sei que ela dormiu na sua casa naquela noite. Ela tem 14 anos, seu pervertido!

O queixo de Alex cai. Então ele se recupera.

— Pervertido? — diz. — Você precisa se informar melhor. Primeiro, eu não dei bebida alguma a ela. Ela estava bebendo rum escondido com as amigas, e, quando eu percebi, ela já estava completamente bêbada. Enquanto você estava em alguma outra festa, eu limpei o vômito dela e cuidei para que ela não saísse e fosse pega pelos seus pais! — O pomo de adão dele está subindo e descendo, e os punhos estão fechados. — As amigas dela a deixaram lá, então ela tinha de dormir lá. Eu fiquei acordado o tempo todo para garantir que ela não se afogasse no próprio vômito. Então, de nada para você.

Eu cruzo os braços.

— Se isso é verdade, por que vocês saíram escondidos no meio da noite no primeiro dia de aula? Nem tente negar. Eu vi quando você a deixou em casa.

— Porque ela me ligou chorando! Ela queria ter certeza de que você não ia ficar sabendo que ela ficou bêbada naquela noite. Ela me fez prometer não contar nada a você. Ela se importa muito com o que você pensa dela. — Ele soltou o ar bufando, balançando a cabeça. — Eu disse a ela que você tinha todo o direito de estar brava. E que eu também iria vigiá-la. E, que se ela bebesse na minha frente, eu iria garantir que você ficasse sabendo.

Não digo nada. Só olho para o campo onde as meninas estão correndo. Estou tremendo.

— Não posso acreditar que você pensou isso de mim, Lillia. Nós dois somos amigos desde o nono ano! Nossas famílias são amigas! Nadia é praticamente minha irmã caçula. Eu nunca pensaria nela dessa forma! — Ele afasta o cabelo dos olhos. Agora que o sol não está mais tão forte quanto no verão, o cabelo dele parece menos loiro e mais vermelho. E também mais comprido. — Isso é doentio.

— Desculpe. — Não sei mais o que dizer.

— Não se preocupe com isso. — Sinto uma vontade súbita de confessar tudo a ele. De desculpar-me de verdade, do modo como ele merece. Mas não posso. Porque não sou só eu. Há também Kat e Mary. Eu as fiz correr risco à toa.

Estou tremendo, porque sinto frio e porque estou me sentindo muito mal com o que fiz.

Alex dá um passo na minha direção. Ele abre o zíper da jaqueta, tira-a e a coloca sobre meus ombros. Ela está com um cheiro gostoso de lavanderia.

— Tudo bem? — pergunta ele, ficando perto de mim. Tão perto que estamos quase nos tocando. — Eu não posso suportar isso, eu e você não sermos amigos. Você é muito importante para mim. Sempre foi. Sempre será — acrescenta, muito suavemente.

Abro a boca para falar, mas, antes que possa dizer qualquer coisa, ele começa a se afastar de volta para o campo. Correndo, ele grita:

— Não pense que vou deixá-la escapar sem correr, Cho!

Eu corro. Todas as voltas que ele manda. Porque, se parar, eu vou começar a pensar no que ele me disse, e como me senti enquanto ele falava.

Na quinta-feira, dia do jogo, PJ me surpreende com um pote cheio de *snickerdoodles*[19]. Tenho quase certeza de que foi a mãe dele quem fez, porque estão embrulhados em papel encerado e são tão perfeitos e macios, mas por mim tudo bem. Tudo que Ashlin recebe de Derek é meio pacote de cookies industrializados, não é nem mesmo a caixa inteira. Ainda assim ela fica animada porque gosta dele e vai aceitar qualquer coisa que ele lhe dê. Reeve fez uma espécie de biscoito de proteínas para Rennie. São duros como tijolo e parecem esterco, mas Rennie faz grande alarido ao comer os biscoitos no almoço.

Uma multidão aparece para nos ver jogar. Não tanta gente quanto num jogo de verdade, mas mesmo assim é bastante gente. Os rapazes do time vestem uniformes de animadoras e perucas e ficam pulando na beirada do campo. É bem engraçado. PJ está com uma longa peruca negra e fica tentando fazer giros para trás, meu movimento favorito.

Como previ, o time de Rennie e Reeve vence o jogo. Rennie faz o único touchdown, e ela escapa por pouco de Teresa quando chega na *end zone*. Depois do jogo, Reeve a ergue no ombro e a carrega para fora do campo, gritando sem parar. Como se eles tivessem ganhado a medalha de ouro nas Olimpíadas ou algo assim.

É melhor eles aproveitarem enquanto podem. Porque logo vão perder, e para valer.

[19] Biscoitos feitos com manteiga ou óleo, açúcar e farinha e rolados sobre canela. (N.T.)

Capítulo 31

MARY

De acordo com Lillia, a treinadora Christy mantém a sala dela sempre trancada. Dez minutos e trinta e três segundos atrás, ela entrou na sala com a caixa dos votos de homecoming. A porta está aberta um pouquinho. Ela está digitando no computador há sete minutos e dez segundos. Sei disso porque estou olhando o relógio no final do corredor o tempo todo. Estou apoiada em alguns armários, e Kat está fingindo que envia mensagens pelo celular, perto do bebedouro.

Exatamente às quatro horas Lillia vem correndo e passa por Kat e por mim, o rabo de cavalo balançando de um lado para o outro.

— Treinadora Christy! — chama, desesperada. — A senhora tem de vir correndo! Temos uma anima-mergência no vestiário das meninas!

— O que houve, Lillia? — pergunta a treinadora, saindo da sala.

— Por favor, venha depressa! — diz Lillia, puxando a treinadora pelo braço. — Acho que uma das novatas está tendo um ataque ou algo assim. Ela está enlouquecida!

As duas saem a toda pelo corredor.

Kat e eu sorrimos uma para a outra, e depois de uma olhada rápida para garantir que ninguém está nos vendo, entramos na sala. Eu fico abaixada perto da porta enquanto Kat vai direto para a caixa dos votos. Ela disse que Pat a ensinou a abrir fechaduras quando era pequena. Tudo que precisa é de um pedaço de uma lata de refrigerante. Para mim, parece loucura, mas ela abre o cadeado em cerca de cinco segundos. Ela despeja o conteúdo na mesa da treinadora Christy.

— Parece que Reeve venceu sem nossa ajuda — reclama Kat enquanto examina os votos.

— Não estou surpresa — digo. — Ele é certamente o mais bonito da sala dos veteranos. — Kat me olha estranhamente, mas é verdade. Ela enfia alguns dos votos na sacola de bolsa a tiracolo que trouxe. Votos para Rennie, suponho. Rennie não poderá ficar naquele palco com Reeve. Que pena. Talvez ela não devesse ser tão má com os outros.

Volto a olhar para o corredor. Lillia e a técnica podem aparecer a qualquer instante. — Você já terminou? — sussurro.

— Estou contando para ter certeza de que Ashlin terá votos suficientes — diz ela, com a cabeça abaixada.

É quando escuto a voz de Lillia vindo do corredor, bem alta e ansiosa. — Ah, meu Deus! Eu achei que ela estava gritando, mas acho que só estava rindo!

— Kat!

Kat ergue a cabeça.

— Não terminei de contar!

Balanço a cabeça.

— Temos de nos esconder!

Kat enfia os votos de volta na caixa e olha ao redor da sala em desespero até ver o armário de suprimentos. Ela faz um gesto para eu ir com ela, mas, quando abrimos a porta, vemos que é pequeno demais para nós duas.

Lillia está falando sem parar, e elas estão bem do lado de fora da porta.

— É tão estranho! Quer dizer, eu acho que até ouvi rumores de que ela se automutila ou algo assim, mas talvez não! Talvez seja um problema de múltipla personalidade. — Ela dá uma risadinha nervosa. — Nós todos estamos meio loucos, com toda a tensão do homecoming.

Eu corro para detrás da porta da sala, e vejo o corredor através da estreita fenda entre a porta e o batente.

— Bem, agradeço por ter me informado, Lillia. É importante que eu saiba o que está acontecendo com a minha equipe.

— Ah, sim, totalmente.

— Tem mais alguma coisa?

Meus olhar e o de Lillia se encontram através da fresta. Os olhos dela ficam imensos. Então o telefone na mesa da treinadora começa a tocar.

— Tenho de atender — diz ela. A treinadora Christy segura a porta. Eu vejo as pontas dos dedos dela do outro lado. Ela vai fechar a porta, atender ao telefone em particular. Se ela fizer isso, estou perdida. Estou tentando não respirar com todas as forças. Contraio os pés tanto quanto consigo e fecho os olhos. Vamos ser pegas, e vai ser minha culpa.

— Espere! — diz Lillia.

— Só um minuto, Lillia — diz a treinadora. — Já falo com você.

A treinadora Christy subitamente para de falar e meu coração quase para. Abro os olhos. Mas ela não me viu, apesar de tudo.

— Lillia! — grita, e corre para fora.

Olho pela fresta novamente. Lillia desmaiou. Ela está caída no chão do corredor. A treinadora a sacode, tentando reanimá-la. Lillia bate as pálpebras.

— Não estou me sentindo bem — sussurra. — A senhora pode me levar para a enfermaria?

A treinadora a ergue do chão, passando um dos braços de Lillia por sobre seu ombro. E então elas se afastam.

— Elas foram embora! — sussurro alto para Kat.

Ela sai do armário.

— Essa foi por pouco. — Imagino que ela voltará para os votos, mas ela corre para fora da sala. Eu vou atrás.

— Caramba! — grita Kat quando chegamos ao corredor.

— Eu achei que ela tinha me visto.

— Bem, obviamente não viu! — Kat dá socos no ar. — Eu só queria ter visto a performance de Lillia. — Ela faz um arremedo. — "Não estou me sentindo bem."

Tento rir, mas algo parece não estar certo.

— Você tem certeza de que há votos suficientes para Ashlin vencer? — pergunto.

Kat faz que sim.

— Tenho certeza de que tudo está bem. Há muitos votos para ela, e eu tirei, sei lá, uns vinte votos de Rennie. — Ela enfia as duas mãos na bolsa e mostra dois grandes punhados de votos. — Nós cuidamos de tudo. Acredite.

Capítulo 32

LILLIA

Os últimos segundos vão passando no placar em lâmpadas redondas brancas. Três, dois, um. O árbitro corre, afastando-se da gaivota brava pintada na linha de 50 jardas e leva a mão à sirene a ar na cintura. Não escuto o som da sirene por causa da comemoração.

Nós arrasamos com eles.

Ilha Jar 38, Tansett 3. Uma vitória no homecoming.

Reeve lidera o time na saída do campo, erguendo o capacete acima da cabeça. Ele está ensopado de suor, o que deixa seu cabelo mais escuro e com cachos bem marcados. Há um grupo de olheiros nas laterais, homens vestindo agasalhos com símbolos de várias faculdades, segurando pranchetas e câmeras de vídeo. Um deles sorri orgulhoso para Reeve, como se fosse o pai dele ou algo assim.

As animadoras pulam sem parar e se abraçam. Olho ao redor e vejo Rennie. Ela está ao lado de Nadia, passando a mão na cabeça dela. Isso bagunça o rabo de cavalo de Nadia, mas ela não liga. Então Rennie faz dois giros de costas. Fico surpresa por ela não estar totalmente nauseada nessa altura, já que ficou fazendo giros de costas durante o jogo inteiro. Rennie faz tamanho espetáculo ao ser a animadora de Reeve, é como se ela pensasse que os olheiros fossem oferecer uma bolsa a *ela* também, como animadora pessoal dele.

Sacudo meus pompons sem muito entusiasmo. Sempre tivemos um grande público no homecoming. Praticamente a escola inteira está aqui, professores, pais, alguns ex-alunos também. Todos participaram dos nossos chamados e respostas, e eles sabem cada palavra de nossos hinos de torcida.

Reeve *fez* realmente um jogo incrível. Um passe perfeito depois do outro. Ele até correu para fazer um touchdown. Nossos fãs gritaram sem parar, entoando o nome dele, mas eu não.

Não sei se Mary veio ou não ao jogo. Não a vi nas arquibancadas. Espero, para o bem dela, que tenha ficado em casa.

Quando PJ passa por mim, dou um tapinha nas costas dele. Ele nem está suado.

— Bom trabalho, PJ — digo. E dou um salto erguendo os joelhos.

Ele sorri e dá um soco no ar.

Alex vem atrás dele. Ao passar pelo nosso banco, ele se vira, correndo de costas e, com um grande sorriso, grita:

— Obrigado pelo grande trabalho de hoje, senhoras!

Sorrindo, balanço a cabeça para ele.

Nadia grita

— Muito obrigada! — As amigas caem umas sobre as outras numa profusão de risadinhas.

Algumas semanas antes isso teria acabado com minha noite. Mas agora, depois de conversar com Alex, sei que não tenho com o que me preocupar. Acreditei nele quando disse que não está interessado em Nadia. Ele nunca faria algo de que eu não fosse gostar. E, nesse sentido, acho que minha vingança foi um sucesso. Voltamos a como as coisas eram antes. Quando Alex fazia tudo que eu pedia. Só que dessa vez não vou tirar vantagem disso. Ele também é uma pessoa com sentimentos.

Os rapazes recolhem o equipamento e vão para o vestiário. Todos menos Reeve, que é imediatamente cercado pelos olheiros. A banda termina o hino da torcida, e as arquibancadas começam a se esvaziar. Algumas das meninas começam a guardar seus pompons na grande sacola de lona do time.

Rennie vê isso e fica vermelha. Ela corre até lá.

— Vocês vão continuar até o último jogador sair do campo! — grita.

Eu não me lembro de essa regra existir. Aparentemente Ashlin também não, porque ela olha para mim e ergue os ombros, com expressão confusa. Nessa altura, Reeve é o único jogador sobrando, e é estranho continuar com as coreografias só para ele, porque ele está conversando com os olheiros. Acho que Rennie também percebe isso e, por fim, solta um suspiro e diz para as novatas pegarem as faixas e levarem o equipamento para a traseira de seu Jeep. Ela deixa Nadia encarregada das chaves do carro.

No caminho de volta, Rennie está explodindo de energia. Ela coloca um CD com músicas de animação de torcida, que são músicas de danceteria ainda mais aceleradas. O som do carro está no volume máximo, e o baixo faz os alto-falantes estalarem e chiarem. Abaixo o som.

— O jogo não foi incrível, Lil?

— Totalmente — digo. Por um segundo fico preocupada se não estou parecendo pouco empolgada, então acrescento, animada: — Todo mundo estará tão bem-humorado no baile amanhã!

Rennie assente com a cabeça.

— Devíamos começar a pensar na nova rotina para o intervalo do jogo do *play-off*. Só para manter tudo claro. — Então ela estende a mão para o assento de trás, tentando encontrar a bolsa. Nós quase subimos na calçada.

Eu juro, Rennie é a pior motorista do mundo. Puxo a mão dela de volta para a direção e digo:

— O que você quer? Eu pego para você.

— Você pode ligar para Ash?

Eu faço isso. Ligo para Ashlin, aciono o viva-voz e ergo o telefone entre nós duas.

— Ei, Ash. Não sei quanto a você, mas eu estou tãããão animada agora! Vamos fazer alguma coisa. — diz Rennie.

— Venham para cá! — sugere Ashlin. — Vocês podem finalmente ver minha sauna nova!

Eu gosto da ideia. Fui algumas vezes a uma sauna, quando minha mãe levou Nadia e eu para passarmos um dia num spa. Seria ótimo relaxar um pouco, especialmente porque, quanto mais perto chegamos de amanhã, mais eu fico nervosa por causa dos nossos planos.

Olho para o relógio no painel do Jeep. São dez e meia. Mary e Kat devem vir mais tarde para repassarmos tudo, e Kat vai trazer o ecstasy com ela. Mas ainda falta muito tempo até lá. Eu disse a elas que viessem às duas da manhã, porque sei que minha mãe e Nadia estarão dormindo a essa hora.

— Parece uma boa ideia — digo.

— Sim! — diz Rennie. — Ashlin, você pode ligar para PJ e Alex e Derek. Eu ligo para Reeve.

— Derek não pode vir. Ele tem uma coisa com a família — diz Ashlin, desanimada.

Eu cubro o telefone.

— Por que não ficamos só nós garotas?

Rennie ri para mim.

— Não se preocupe. Não vamos fazer o jogo da garrafa. Eu juro. Tchau, Ash! — Desligo o celular, e Rennie aponta o queixo para mim. — Agora ligue para Reeve.

Encontro o nome dele na minha lista e aperto o botão.

Ele atende depois de alguns toques.

— E aí, Cho? — Reeve aparentemente já está celebrando. — Você está ligando para me dar os parabéns? Essa realmente é minha noite de sorte.

Antes que eu possa responder, Rennie larga a direção e arranca o celular da minha mão, e grita:

— Viva Reevie!

Meia hora mais tarde, nós seis estamos na casa de Ashlin, tomando cerveja na sauna. O pai dela fez a sauna na casa da piscina. É uma sala imensa coberta de pranchas de cedro. Bancos de madeira foram fixados nas paredes, e tem uma grande porta de vidro que dá para a piscina e a Jacuzzi. A luz é suave aqui dentro, e o calor está me deixando sonolenta.

Ashlin está usando um de seus biquínis. Ela ofereceu outros para Rennie e para mim, mas Ashlin tem seios grandes, e não tem jeito de uma de nós usarmos a parte de cima de nenhum deles. Então estou vestindo lingerie e uma camiseta grande que peguei do irmão mais novo de Ashlin, que tem, sei lá, 1,80 metro apesar de ainda estar no sétimo ano. Mas Rennie está apenas de calcinha e sutiã, deitada num dos bancos de madeira com os olhos fechados, como se estivesse numa revista masculina.

Conheço esses caras faz anos, mas é estranho Rennie estar de roupa íntima na frente deles. E o calor seco está começando a me deixar com dor de cabeça. Tomo um gole da cerveja e encosto a garrafa na testa.

— Eu devia pedir para o técnico colocar uma dessas no nosso vestiário — diz Reeve. — É bom para os músculos. — Reeve está usando uma cueca boxer preta, e gotas de suor escorrem-lhe pelos abdominais. Alex e PJ estão cada um de um lado dele, também de cueca, com toalhas sobre o rosto.

— Falando sério! — diz Rennie. — Aposto que seu treinador faria isso se você pedisse. Você é o astro dele, afinal de contas, aquele que nos levará ao título estadual este ano! — Rennie solta um *urru*! alto que enche a sala.

PJ pigarreia.

— Ahã. Não se esqueça do kicker. Lembre-se, para cada seis pontos que Reeve marca, eu marco mais um. Certo, Lil?

— Certo — digo.

— Sério, Reevie — diz Rennie. — Cada um daqueles olheiros quer você. Como você vai decidir para onde vai?

— Vai ser assim. — Reeve coloca a cerveja no banco. — Primeiro, tem de ser uma escola boa com um bom programa de comunicações. Depois vou pensar na reputação das festas. E também considerar a localização, porque quero estar em algum lugar quente e ensolarado. — Ele puxa a toalha da cabeça de Alex e a coloca na sua. — E, além disso, tenho minha edição da *Playboy* sobre os campus das faculdades para ajudar, caso fique em dúvida.

Eu sinto um arrepio e cruzo os braços.

— É bom que essas escolas não queiram nem saber das suas notas — digo a Reeve, não conseguindo me conter. E acrescento, docemente: — Quer dizer, se não fosse o futebol, quem sabe para onde você iria, certo?

PJ ri alto, Alex também.

Reeve responde imediatamente.

— É uma pena que não possamos todos ser asiáticos, né, Cho?

Todos riem dessa vez. Tomo mais um gole da cerveja. Um gole grande.

Falamos mais um pouco sobre o jogo, e Rennie convence Reeve a narrar as jogadas dele para nós, realçando os melhores momentos. Estou observando a garrafa de cerveja de Rennie, esperando que, assim que terminar, ela esteja pronta para me levar para casa. Não quero nem pensar no que Kat vai dizer se eu me atrasar. Além disso, tenho horário para estar em casa.

PJ tem um relógio que emite um bipe a cada hora. Quando dá uma da manhã, começo a bocejar, a cada minuto mais ou menos. Às vezes são bocejos de verdade, às vezes fingidos. Esse agora é falso.

— Você está cansada, Lillia? — pergunta Alex.

— Estou — digo. E então faço contato visual com Rennie. Mas Ashlin levanta e joga um pouco de água nas pedras quentes, o que enche a sala de vapor.

Alex levanta e se espreguiça.

— Acho que não posso mais aguentar esse calor — diz.

— Então pegue outra cerveja para mim — diz Rennie, e começa a rir histericamente.

— Você não devia ficar fora até muito tarde — digo a ela. — Amanhã vai ser um grande dia para você. Você não vai querer estar com olheiras.

— Mas estou tão relaxada — diz ela, olhando para Reeve. As palavras dela se atropelam.

— Vamos — digo. — Vamos, Ren. Eu dirijo.

Rennie faz cara de triste para Reeve e diz:

— Tem algo errado com os ouvidos dela? Ela não consegue me ouvir? — Ela olha novamente para mim. — Testando, testando. Um, dois, três.

Tenho vontade de lhe dar um tapa.

— Eu levo você para casa, Lillia. — Alex se oferece.

— Ótimo — digo, antes de abrir a porta da sauna e sair. Rennie pode fazer o que quiser. Por que eu me importaria? Ela não é responsabilidade minha. Assim como eu não era dela.

O quintal da casa de Ashlin está escuro, e o ar da noite tem um toque agradável em minha pele.

Alex vem andando atrás de mim.

— Um segundo — digo a ele. — Vou vestir minhas roupas. — Corro para dentro da casa e visto novamente meu uniforme de animadora.

Quando vou para fora, Rennie está parada junto do Jeep, embrulhada numa toalha.

— Pensei que você queria ficar — digo.

Ela abre a boca para responder, mas Reeve a chama da sauna:

— Volte aqui, Ren. Deixe Lindy levá-la para casa. Eu levo você mais tarde.

Rennie troca o pé de apoio e olha de novo para a sauna.

— Acho que vou ficar. Vejo você amanhã! — E então ela corre, deixando pegadas molhadas no chão.

Viro e vejo Alex, sentado na SUV com as luzes apagadas. Entro no carro.

— Obrigada por me dar carona. Acho que não aguento ver Rennie atirar-se em cima do Reeve por mais uma hora.

Alex dá de ombros.

— Eu não vi ele reclamar.

Ele liga o carro, e eu coloco o cinto de segurança.

— Claro que não. Ele é um egomaníaco. — Ligo o rádio e procuro uma estação. — Quer dizer, não importa quem é a garota, desde que ela esteja tão obcecada por ele quanto ele próprio é.

Alex não diz nada, e fico sem graça. Talvez eu tenha falado um pouco demais.

Exatamente às duas da manhã, desço e abro a porta da frente. Kat e Mary estão ali. Levo o dedo até o lábio e as trago para a sala de estar.

— Como foi o jogo? — sussurra Mary para mim.

— Nada demais — digo. — Nós ganhamos. — E me volto para Kat: — Você conseguiu o negócio?

Kat está andando pela sala, olhando as fotos na parede. Uma comigo e Nadia em nossos vestidos de Páscoa na casa da nossa avó, o retrato da família que minha mãe encomendou de um artista famoso de Boston. Ela já viu tudo isso antes, mas talvez não se lembre.

— Sim — diz ela, olhando um pouco mais o retrato de debutante da minha mãe. — Eu consegui. — Ela me passa um vidrinho pequeno.

— O que é isso? — Eu achava que estávamos comprando pílulas.

— Ecstasy líquido. É muito mais forte que o comum.

Eu abro a tampa. O líquido dentro do vidro é transparente. Seguro sob o nariz e aspiro, mas não tem odor nenhum. — Tem certeza de que esse cara não enganou você?

Kat me olha feio.

— Quem você acha que eu sou? Eu conheço drogas, Lillia. Duas gotinhas na bebida de Reeve e ele vai viajar para valer. Deve levar só uns quinze minutos para começar, então espere Reeve ir dançar antes de fazer isso. Se ele começar a ficar estranho antes da dança, um dos amigos pode trancá-lo na limusine até ficar sóbrio.

— E quanto tempo vai durar?

— Reeve vai estar montando em elefantes cor-de-rosa por pelo menos oito horas. — Kat dá uma risada. — Mary, assim que Reeve começar a agir como maluco, encontre um dos seus professores e aponte Reeve para ele. Eu vou fazer o mesmo. Daí eles vão ver quando ele chegar ao clímax.

— O *Señor* Tremont é um dos responsáveis — diz Mary. — Fizemos um negócio todo hoje na aula sobre dança espanhola.

— Perfeito — digo. — Acho que ele quase reprovou Reeve em Espanhol II ano passado porque ele escreveu o trabalho final sobre o filme *Los Tres Amigos*. Tremont odeia Reeve. — Giro o vidrinho nas mãos. — Hum, preciso contar uma coisa a vocês.

— O quê? Você está bem, Lillia? — pergunta Mary. — Por favor, não se preocupe, vai dar tudo certo.

— Não é isso — digo, e então mordo o lábio de baixo. Sei que não preciso contar para elas sobre Alex. Não vai fazer nenhuma diferença nessa altura. Mas quero ser honesta com elas. Como Mary disse, não pode haver segredos entre nós. Elas têm o direito de saber.

— Conversei com Alex. E parece que a história com minha irmã foi um grande mal-entendido.

Os olhos de Mary ficam imensos.

— Espere. Mesmo?

— Mas eu vi os dois no carro dele — diz Kat.

— Sim, mas você o viu beijar a minha irmã? Tipo, viu eles fazendo qualquer coisa?

Kat inspira profundamente.

— Não. Acho que não.

— Alex jura que eles nunca ficaram, e acredito nele. Talvez seja idiotice, mas acredito. — Baixo os olhos. — Eu estou realmente arrependida.

Kat desconsidera minhas desculpas.

— Não podemos viver no passado. Agora é nossa vez, de Mary e minha.

— E não fizemos nada *realmente ruim* com Alex. Foram só algumas piadas bobas — acrescenta Mary. Ela se vira para mim. — Você continua com a gente, não é, Lillia?

Eu aperto o frasco de ecstasy líquido na mão. É verdade. Nós só fizemos umas brincadeiras bobas com Alex. Não foi nada em comparação com o que planejamos para Reeve e Rennie. Não há dúvidas em minha mente de que esses dois merecem tudo que irá lhes acontecer.

— Sem dúvida.

— Então está bem — diz Kat, passando as mãos pelo cabelo. — Acho que é isso. O *grand finale*. — Ela se vira para Mary. — Você está pronta?

Mary confirma.

— Mal posso esperar.

Ela não parece assustada. Só animada. Assim como Kat. Ainda estou assustada, mas também me sinto animada.

Sinto que estou mais próxima de Kat e Mary do que de qualquer um dos meus outros amigos. Nós três somos um círculo. Estamos ligadas uma às outras agora. Posso sentir. Sinto poder também. Toda a conversa, o trabalho duro, as brincadeiras que fizemos, isso tudo nos trouxe até aqui e agora.

Abro a porta da frente, e Mary desce os degraus alegremente. Ela vai pegar a bicicleta embaixo de um dos arbustos.

Kat para por um segundo.

— Uma coisa — diz ela para mim. — Quando você colocar o E na bebida de Reeve... Faça o mais depressa que puder e não transforme isso em algo grandioso. Passe a bebida para ele e vá dançar.

Eu balanço a cabeça, concordando.

— Está bem.

A expressão de Kat muda subitamente. Os lábios se comprimem, e vejo-a olhando por cima do meu ombro. Viro-me e ali está Nadia, de camisola, segurando um copo de água.

— O que você está fazendo em pé? — digo, levo as mãos atrás das costas e me viro para Kat, esperando que ela tenha algum tipo de desculpa. Mas ela já sumiu. Olho novamente para Nadia, o coração batendo depressa no peito.

— O que Kat DeBrassio está fazendo aqui? — pergunta Nadia, confusa. Ela vai até a porta e olha lá fora.

— Ela... ela ficou com Alex neste verão — digo, apertando o vidrinho na mão. — E ela ouviu uma fofoca sobre você ter dormido com Alex. Veio aqui fazer ameaças a você.

O rosto de Nadia fica branco.

— Mas nós nunca...

— Eu sei. Não se preocupe. Conversei com ela. Disse que você nunca faria isso. Só espero que ela tenha acreditado.

Nadia se vira e olha assustada para mim.

— Lillia! O que eu faço?

Eu fecho a porta com um gesto dramático.

— Não diga nada a ninguém sobre ela ter vindo aqui. Não lhe dê motivo para vir procurá-la de novo. Posso proteger você na escola e em casa, mas não estou do seu lado o tempo todo. Então fique longe dela. — Olho com ar sério para minha irmã. — Entendido?

Ela faz que sim com a cabeça. E com a voz baixinha, diz:

— Obrigada por me ajudar.

— Você é minha irmã — digo, desviando os olhos. — Claro que vou sempre ajudar você.

De forma impulsiva, Nadia corre e me abraça com força, então sai correndo escada acima. Tranco a porta da frente e solto um suspiro de alívio. Então subo também.

Meu vestido para o baile está pendurado atrás da porta do quarto. Separo os sapatos e a bolsa pequena de festa que peguei emprestada da minha mãe. É ali onde coloco o vidrinho com ecstasy líquido. No pequeno bolso de cetim onde supostamente vai um batom.

Daí apago a luz e vou para a cama. Espero não demorar muito para dormir. Amanhã será um grande dia.

Capítulo 33

MARY

Estou com vestidos e mais vestidos espalhados sobre a cama. Todos que trouxe comigo para a Ilha Jar. Experimentei seis deles, mas nenhum é o certo para esta noite. Coloco o sétimo, um branco com renda e saia de crinolina, mas parece infantil, como um imenso vestido de primeira comunhão. Quero estar linda esta noite. Linda o bastante para poder ter sido a rainha do homecoming, se não fosse recém-chegada, se não tivesse sido forçada a mudar para longe daqui.

Enquanto examino os vestidos, imagino se talvez tia Bette não teria algo que possa me emprestar, ou se não está tarde demais para ir até a butique chique na Terceira Avenida em White Haven. Os vestidos lá são caros, tipo, 300 dólares, mas tenho certeza de que minha mãe concordaria que o gasto vale a pena. Para ficar linda, quer dizer. Não só bem. Esta noite tenho de estar perfeita. Apesar de ser Ashlin quem será coroada rainha do homecoming, esta noite é a *minha* noite.

Então encontro o vestido certo, bem no final da pilha. Um que nem me lembrava de ter comprado. Tem um ombro só, é longo, esvoaçante e rosa-escuro. Com camadas e mais camadas de seda. Olho a etiqueta. É daquela butique chique.

E então percebo. Tia Bette. Contei para ela que ia ao baile. Ela deve ter comprado o vestido para me fazer uma surpresa, e o escondeu no armário para que eu achasse. Eu poderia chorar!

Jogo longe o vestido branco e experimento esse. Não é um vestido que eu teria escolhido para mim mesma. E, quando o deslizo pelos ombros, torço para conseguir tirá-lo depois. Tem tanto estilo e é tão único, e é definitivamente a roupa mais cara que possuo. Dá para dizer só de tocar que o tecido é fabuloso. Parece algodão-doce na pele.

Caminho lentamente até o espelho para dar uma olhada. Quase não me reconheço. O vestido é tão lindo. Mais que lindo. É perfeito.

É exatamente como quero estar quando Reeve desabar esta noite.

Corro para fora do quarto procurando tia Bette, para agradecer-lhe e para mostrar como o vestido ficou perfeito em mim. Ela não está no quarto dela, nem lá embaixo, então tento seu estúdio de arte. Não entrei lá ainda desde que voltei. É o local particular de trabalho dela, e ela mantém a porta fechada, da forma como faz quando não quer ser incomodada. Mas hoje a porta está aberta, só encostada. Talvez seja intencional. Talvez tenha sido o vento ou algo assim.

Não sei se devo deixar o cabelo solto, ou preso do lado. Tia Bette vai saber. De qualquer forma, quero muito lhe agradecer e lhe dar um grande abraço.

— Tia Bette? — chamo, subindo a escada.

As paredes do sótão estão cobertas de quadros. Pilhas e pilhas de estudos. Às vezes tia Bette pinta a mesma cena 50 vezes antes de ficar do jeito que ela quer.

O telhado é inclinado, e tenho de andar pelo centro para não ter de abaixar a cabeça. O cavalete de trabalho está montado do outro lado da sala. Ela gosta de pintar de costas para a janela. Perto do cavalete está a mesa onde ela coloca as tintas e pincéis. Os pequenos montinhos de tinta brilham, ainda molhados, frescos. Vejo as pernas dela, ouço o som do pincel passando na tela.

— Tia Bette!

Ela se inclina por trás da tela e olha para mim. Eu dou um giro.

— Mary, você está linda.

— Obrigada. Adorei o vestido.

Tia Bette balança a cabeça e sorri.

— Estou tão contente por você estar feliz agora.

— Estou sim — digo. — Estou feliz de verdade.

Volto para baixo, para meu quarto, e penteio o cabelo. Então abro minha caixa de joias, pego meu colar com o pingente de margarida e o coloco.

Na minha festa de doze anos convidei toda a classe para vir à Ilha Jar, à minha casa. Era assim que se fazia na Montessori. Todos convidavam todos. Em todos os outros anos, eu tinha feito a festa no continente, porque era onde moravam todos os outros da classe. Íamos a um boliche ou ao lugar do combate com laser, ou a uma pizzaria. Mas aquele ano tinha de ser na minha casa, por causa do tema.

Tive a ideia quando fui à loja de cartões na Avenida Central para escolher convites com a minha mãe. Vi cartões com o formato de tendas de circo, com faixas vermelhas e amarelas, e era preciso olhar por baixo da beirada da tenda para ver a informação da festa.

Eu já conseguia imaginar. O tema seria parque de diversões, com jogo de atirar os anéis e uma cesta de basquete e comidas divertidas como algodão-doce e pipoca e talvez até *funnel cake*[20]. Nosso quintal era imenso, então haveria espaço suficiente. Por um segundo fiquei preocupada que um tema desses poderia ser infantil demais para o sétimo ano, mas daí pensei que os garotos iam gostar dos jogos. Eles iam gostar de fazer pose mostrando quantas cestas faziam, e as meninas iam gostar dos prêmios. Compramos os prêmios pela Internet, bichinhos de pelúcia e batons com sabor de frutas para as meninas, e bonés de beisebol para os meninos.

Meu pai fez buracos numa chapa de madeira, e tia Bette e eu pintamos um elefante, uma girafa e um macaco ao redor deles para as pessoas enfiarem a cabeça e tirarem fotos. Alugamos uma máquina de pipoca e outra de algodão-doce. Meu pai cuidaria da grelha dos cachorros-quentes, e mamãe faria sua salada de batata.

Apesar de todos agora me odiarem, se fizesse uma festa incrível, eu poderia mudar a opinião deles sobre mim.

Eu estava sentada na calçada, olhando rua abaixo, esperando o carro da minha mãe voltar da balsa com as crianças que ela fora buscar. Eles deviam chegar na balsa das três. Mas passava das quatro, o que significava que três balsas já haviam chegado.

Fiquei com aquela terrível sensação no estômago. Ninguém viria à minha festa. Nem mesmo Anne. Pensei em minha mãe esperando no cais, segurando a placa que pintamos juntas.

[20] *Funnel cake* (torta de funil) ou *funny cake* (torta engraçada) é uma guloseima típica de parques de diversões americanos, feita com massa despejada em fios (nos parques isso é feito com funis), depois frita e coberta com açúcar, canela, geleia de frutas ou outras coberturas. (N.T.)

Ela dizia CIRCO POR AQUI. Tudo que eu sabia era que não podia mais ficar no quintal com tia Bette e meu pai. Eles ficavam mexendo na decoração e nos jogos que já estavam montados, só para ter o que fazer. E disseram que eu podia abrir os presentes que tinham comprado para mim, como se isso fosse fazer eu me sentir melhor.

Lá pelas quatro e meia o carro da mãe de Reeve veio pela rua. Assim que o vi, levantei de um salto. Eu estava falando sobre a festa com ele todo dia, falando sobre os jogos, os prêmios, a torta de chocolate que íamos pedir na Milky Morning. Tive a ideia da cesta de basquete só por causa dele, porque sabia como ele adorava basquete. Pedi para meu pai comprar a cesta. Ele a montou na garagem.

A mãe dele estacionou o carro. Pude ver que eles estavam brigando. Finalmente, Reeve desceu do carro. Ele bateu a porta com toda a força.

— Ei — disse ele, amuado. — Desculpe estar atrasado. Minha mãe teve de levar meus irmãos no jogo antes.

— Tudo bem! — Peguei a mão dele e o levei para a casa. Sabia que ele não queria ficar ali. Sabia que a mãe provavelmente o forçara a vir, mas eu estava feliz por ele ter vindo.

Tia Bette e meu pai estavam tomando café junto da cesta de basquete. Assim que me viram com Reeve vindo pela entrada de carro, eles entraram em ação. Tia Bette ligou o som, e a música de circo encheu o ar. Papai pegou os tíquetes dos jogos e rasgou uma faixa grande para Reeve.

— Então ninguém apareceu, é? — perguntou Reeve.

Não respondi. Em vez disso, levei-o até a mesa de comida.

— Você está com fome? Temos cachorro-quente, algodão--doce, pipoca. Você pode pegar o que quiser.

Reeve suspirou.

— Acho que quero um cachorro-quente.

Preparei um para ele.

— Você quer ketchup ou mostarda? — perguntei.

— Ketchup.

Nesse momento, minha mãe apareceu. Sozinha. Ela estava com ar preocupado, mas, quando viu Reeve, iluminou-se.

— Reeve, estou tão feliz por você ter vindo — disse ela.

— Hummm, sabe, acho que ouvi no rádio agora pouco que está chovendo no continente. Aposto que todos da escola estão pensando que a festa foi cancelada — disse. O rosto muito vermelho.

Olhei para ele com gratidão.

— Deve ter sido isso, mãe. — E então meus olhos foram até a caixa na mão dele. Eu notara a caixa no instante em que ele desceu do carro. Uma pequena caixa branca com uma fita cor-de-rosa. Tinha de ser para mim.

— Aqui — disse ele, empurrando a caixa para mim. — Feliz aniversário.

Comecei a abrir o presente ali mesmo, na frente dele. Não podia esperar. Ele ficou ali, olhando por cima do meu ombro em vez de comer o cachorro-quente.

Ele comprara um colar para mim, uma margarida esmaltada com miolo amarelo e pétalas brancas. Era a coisa mais linda que já vira. Quase não consegui pegar o colar, de tanto que minhas mãos tremiam. Minha mãe teve de me ajudar com o fecho.

Ele parecia nervoso.

— É legal?

— Eu adorei — disse-lhe.

Apesar de tudo que aconteceu depois, ele foi bom comigo naquele dia. No dia em que mais precisei dele, Reeve foi meu amigo.

O colar está brilhante, sem nenhuma sujeirinha, mesmo depois de todos estes anos. E, por mais triste que seja, colocar o colar outra vez me deixa feliz. Tão feliz quanto fiquei quando Reeve me deu no meu 12º aniversário, certa vez.

Capítulo 34

LILLIA

RENNIE E EU ESTAMOS NOS PREPARANDO PARA O BAILE NA MINHA CASA. É nossa tradição. Minha mãe sempre nos deixa usar o quarto dela. Quando ela ajudou a projetar a casa, fez questão de ter uma suíte enorme com um quarto de vestir com espelho em três paredes. Ela também fez o eletricista colocar lâmpadas especiais, o que permite alternar entre luz do dia, de trabalho e de noite, assim podemos ter certeza de que cabelo e maquiagem estão perfeitos.

Minha mãe tem toneladas e toneladas de roupas incríveis, Chanel, Dior e Halston, das antigas. Vestidos longos sem ombros que vão até o chão, blusas de seda que amarram no pescoço, conjuntos de tweed. Definitivamente, nada que eu usaria na escola, mas minha mãe diz que vai colocar um cadeado na porta quando eu fizer 20 anos.

Está quente no quarto de vestir com os secadores e o babyliss esquentando, então abro a porta de correr envidraçada que dá para a varanda. Minha mãe e a Sra. Holtz estão lá embaixo no pátio, tomando vinho branco, observando o céu ficar rosado à medida que o sol desce na água. A Sra. Holtz acende um cigarro. Não temos cinzeiros, então minha mãe pega um dos suportes de vidro das velas flutuantes que ela mandou vir da Itália e a deixa usar como cinzeiro. A Sra. Holtz e minha mãe estão definitivamente amistosas, mas eu não diria que são exatamente amigas.

— Lillia! — chama Nadia, lá do banheiro. — Você pode, por favor, por favor, maquiar meus olhos?

Nadia está nervosa porque foi convidada para o baile por um colega. Um rapaz do segundo ano chamado James Melnic. Ele é baixinho, mas parece ser bom sujeito. Perguntei a Alex, que o conhece do futebol, e ele disse que o cara é bom sujeito. Mas vou ficar de olho nele.

Digo para Nadia sentar no balcão. Então passo o delineador nos olhos dela assim como fiz nos meus, mas fazendo a linha um pouco mais fina, já que ela está no primeiro ano. Também coloco sombra lilás, porque o vestido dela é de um roxo suave, quase prateado. O vestido parece feito de uma única faixa de tecido, enrolada ao redor dela como uma bandagem.

— E o batom? — diz Nadia depois que aplico o blush nela.

— Use apenas o gloss — digo a ela. Nadia faz bico. — Batom vai ficar exagerado — digo, incomodada.

Ela olha para mim.

— E quanto a esse batom que *você* está usando?

Comprei um batom rosa-pálido, especialmente para combinar com o vestido.

— Vai ficar exagerado — repito.

— Lil está certa, Nadia — diz Rennie, lá do quarto de vestir. — Você não quer ficar parecendo uma puta.

— Está bem — concorda Nadia, com um suspiro, não completamente convencida, e desaparece no quarto dela.

Dou uma última olhada no meu cabelo. Passei a parte da frente pela testa e prendi num coque pequeno do lado. Deixei alguns cachos soltos, então coloco mais alguns grampos e aplico o fixador de penteado por cima. Um toque do batom rosa, blush rosa e delineador. É um visual de menininha pálida, para complementar a simplicidade do vestido preto, e para combinar com os sapatos de salto que comprei no tom mais claro de rosa. Tenho usado os sapatos em casa com meias grossas desde que os comprei, esperando que não me causem bolhas.

Rennie está fazendo poses diante dos três espelhos. Ela está fantástica no vestido de lantejoulas, que está usando com um bracelete brilhante que minha mãe lhe emprestou, e um batom vermelho brilhante. O cabelo ainda não está penteado. Rennie fica empilhando o cabelo no alto da cabeça, e o solta, para que caia ao redor dos ombros.

— Ren, é melhor irmos — digo. Todos irão encontrar-se na casa de Ashlin para tirar fotos.

— Merda! — diz ela. — Não consigo decidir se prendo o cabelo ou o deixo solto. — Ela está nervosa e agitada. Ergue os braços e joga ar sob eles com as mãos. — Ajude-me, Lil. O que você acha que Reeve irá preferir?

— Venha aqui.

Rennie se deixa cair numa das poltronas macias da minha mãe. Fico atrás dela e ondulo as pontas do cabelo com o *babyliss*. Quero perguntar sobre Reeve, o que ela fez ou não fez com ele depois que fui embora da casa de Ash, mas não faço isso. Apenas coloco grampos dos lados.

— Linda.

Rennie levanta e se olha nos espelhos. Estou logo atrás dela, olhando também. Acho que ela está incrível com aquele vestido, que há um toque de suavidade para equilibrar todo o brilho. Por um segundo fico pensando, preocupada, que ela não irá gostar do que fiz. Mas então percebo que ela nem está olhando para si mesma. Está olhando para mim, para meu reflexo atrás dela.

— Lil? — diz, virando-se de frente para mim.

— O que foi? — digo, nervosa.

Rennie se inclina e me abraça com força. Daí se afasta, olha-me nos olhos.

— Acho que minha vida inteira teria sido diferente se não tivéssemos ficado amigas — diz. Seus olhos brilham, marejados.

— Ren — digo, e mal consigo engolir, sabendo o que vai acontecer com ela esta noite. Digo para mim mesma que Rennie vai ser uma pessoa melhor quando isso acabar. Vai ser como foi com Alex. Vamos todos sair melhores do outro lado.

A campainha toca. Nadia grita para eu descer. Rennie e eu pegamos nossos sapatos e bolsas e vamos ver o que está acontecendo. Nadia está pegando uma caixa branca das mãos de um entregador enquanto mamãe assina um papel na prancheta dele.

— Humm — diz mamãe, e então se vira e dá um sorriso misterioso para a Sra. Holtz. — O que será?

A Sra. Holtz também sorri, mas seu sorriso não lhe chega aos olhos.

Abro o cartão no minúsculo envelope branco. *Para minhas duas garotas. Divirtam-se esta noite. Com amor, papai.*

Nadia rasga o papel do pacote. Juro que ela é um animal quando o assunto são presentes.

— Papai nos mandou *corsages*[21]! — grita Nadia, colocando o dela no pulso. É uma orquídea púrpura, que combina perfeitamente com seu vestido.

Rennie olha por cima do meu ombro quando pego o meu na caixa e o coloco no pulso. A minha é uma orquídea rosa-pálido.

— Que lindo, Lil — diz ela, com a voz pequena. Posso ver que está com ciúme.

Quando viro, vejo Nadia abrindo minha bolsa. Eu corro até ela.

— Não mexa na minha bolsa! — grito.

Nadia abre a boca, sem acreditar. Eu literalmente arranco a bolsa das mãos dela e digo:

— Eu já disse, SEM BATOM! — Minhas mãos estão tremendo.

Nadia recua.

— Desculpe.

Rennie me olha, estranhando.

— Calma, Lil.

Minha mãe tira uma foto de mim e Nadia com nossos *corsages* e a envia por e-mail para meu pai. Então o rapaz chega para pegar Nadia para irem à casa do amigo dele. Ele também traz um *corsage*, então agora ela está usando um em cada pulso. Claro que mamãe os faz posar juntos na escada. Nadia passa o braço pelo do rapaz e sorri. Com os saltos, ela está da altura dele.

Depois que eles saem, a Sra. Holtz e minha mãe nos levam até a casa de Ashlin no carro de mamãe. A limusine alugada já está lá, estacionada na frente.

PJ, Reeve e Alex estão ali juntos, parados e sem graça, passando a garrafa de água de PJ, que contém vodca. Eles estão

[21] Enfeites com flores que são presos no pulso com fitas ou no peito com alfinetes, muito comumente usados em formaturas. (N.T.)

de terno. Acho que o de Reeve é o mesmo que ele usou na formatura do primeiro ano. Posso dizer porque é cinza-chumbo, e porque o terno está apertado nos ombros. PJ está usando um desses óculos escuros de plástico que ele jura serem legais, apesar de ter comprado por 5,99 na Beachcombers. Alex é o único que parece se sentir confortável no terno. Ele está usando um paletó preto muito bonito, com gravata cinza e sapatos recém-engraxados. Alex vai a muitos locais com a família onde precisa estar bem vestido. Sei disso porque sua mãe está sempre tentando levar a minha junto.

A mãe de Reeve está prendendo o *corsage* de Rennie com um alfinete. É uma rosa bem cor-de-rosa com florezinhas brancas chamadas cravo-de-amor. Ela pula e dá um beijo no rosto dele. Não é que ele tenha ido a um florista e escolhido *essa rosa porque ela iria combinar com os sapatos de Rennie,* nem nada assim. Tenho certeza de que foi a mãe dele que escolheu.

Ashlin está linda em seu vestido. É curto e tem cintura imperial e uma saia de camadas de seda creme, o que a faz parecer realmente bronzeada. O cabelo está torcido e preso, com alguns cachos formando pequenas tranças, e os sapatos de salto alto são de um dourado pálido.

Ela vai ser uma ótima rainha do homecoming. Só espero que Reeve não arruíne completamente o momento dela. Kat disse que duas gotas grandes de E seriam o bastante, mas talvez eu coloque só uma. Não quero que ele vomite nem nada assim.

A mãe de Ashlin nos leva até os degraus da frente da casa. Quando nos alinhamos, descubro-me ao lado de Reeve. Ele olha para mim por um breve instante e então se afasta para ir ficar do outro lado do grupo, junto a Rennie. Todos mudam de posição para abrir espaço para eles.

Tiramos algumas fotos assim. Daí Rennie grita:

— Casais!

Eu saio da escada, e ela e Reeve posam juntos, ele com os braços ao redor da cintura dela. Ela inclina a cabeça para trás, rindo de algo que ele lhe sussurrou ao ouvido.

A Sra. Lind pula com a câmera e diz:

— Lillia! Vá posar com Alex.

Eu me viro, e Alex enrubesce.

— Não iremos juntos, mãe — diz ele.

Mas a Sra. Lind leva a câmera até o rosto.

— Eu sei, mas vocês dois ficam tão bonitos juntos. Não é, Grace?

Minha mãe assente, aprovando.

— Mande uma cópia desta para mim, Celeste.

— Claro! — diz ela, fazendo gestos para nos aproximarmos um do outro.

Alex vem perto de mim, e sorrimos para a câmera.

— Um pouco mais perto — pede a Sra. Lind. — Abrace-a, Alex.

Alex suspira e passa o braço por meus ombros.

— Vamos logo, mãe. Nós temos de ir embora — diz. Ele está usando uma colônia. Geralmente ele não usa colônia. É um cheiro bom, algo como lavanda e madeira.

A Sra. Lind começa a tirar fotos. Meu sorriso parece que vai rachar-se. Queria estar no baile e já ter terminado minha parte no plano.

Capítulo 35

KAT

ESTOU PARADA LONGE DA AÇÃO, PERTO DE ONDE ESTÃO AS MESAS E cadeiras, observando enquanto Lillia serve o ponche em dois copos lá adiante na mesa de bebidas. Ela pega a bolsa preta, retoca o batom e de forma completamente casual derrama o líquido do vidrinho num dos copos. É tudo tão rápido e discreto que, se não a estivesse observando o tempo todo, não teria notado.

Lillia volta para a mesa deles, fingindo procurar por Rennie, que está no banheiro.

— Onde está sua garota? — pergunta a Reeve, que está sentado sozinho. — Ela me pediu para pegar ponche.

Reeve parece incomodado.

— Rennie não é minha garota.

— Bem, não é o que ela pensa. Você não devia induzir as pessoas assim.

— É você quem está dizendo. — Posso ver que Reeve não quer mais falar com Lillia pela forma como ele fica olhando para o outro lado, mas então rapidamente volta a olhar para ela. — Rennie é minha amiga. E só isso.

— Alex e PJ são seus amigos. Você também os beija? — Ela ainda está segurando os dois copos, a bolsa presa embaixo do braço. O plano era que ela apenas oferecesse o ponche para ele. Não sei por que ela está puxando conversa.

— Estávamos fazendo o jogo da garrafa!

— Eu não estou falando do jogo da garrafa. Nem daquela noite no Bow Tie. Estava falando de ontem à noite.

— Por que você se importa tanto assim? — pergunta ele, com um sorrisinho.

— Ela é minha melhor amiga — diz Lillia, automaticamente.

Queria que ela olhasse para mim para eu lhe fazer um sinal para acabar logo com aquilo. A conversa está indo longe demais, estou começando a imaginar… será que ela está querendo dar o fora? Detesto admitir, mas talvez parte de mim ficasse aliviada se ela fizesse isso. Só uma partezinha. Conheço Reeve há tanto tempo quanto os outros. Todo mundo na Ilha Jar sabe o quanto ele quer uma bolsa para jogar futebol. Quanto ele deseja sair desta ilha. Tanto quanto eu, com certeza.

Descubro que estou segurando a respiração enquanto espero para ver o que Lillia fará. Do outro lado do salão, vejo Mary passar pela porta dupla. Ela está linda num vestido longo cor-de-rosa, o cabelo loiro ondulado cascateando pelas costas.

Acho que Lillia viu Mary ao mesmo tempo que eu, porque ela finalmente entrega o copo a Reeve e diz:

— Um brinde. Boa sorte ao rei do homecoming.

Reeve parece surpreso, talvez até animado. Ele pega o copo, toca com ele no copo de Lillia, e então toma tudo num gole só. Estalando os lábios, diz:

— Boa sorte a você também, Cho.

Eu me viro, esperando que Mary tenha visto aquilo. Ela pisca para mim.

Lillia não responde ao que ele disse. Ela apenas toma mais um gole do ponche, parecendo nervosa.

Agora que foi feito, saio do ginásio e vou ao banheiro feminino urinar. Já tomei, sei lá, três copos de ponche.

Entro no banheiro, e ali está Rennie, parada diante do espelho em seu ridículo vestido de lantejoula prateada que mal lhe cobre a bunda. Ela se olha no espelho, estica os lábios e abre bem os olhos. Conheço bem esse rosto de espelho. Eu a vi fazer isso milhares de vezes. Por, sei lá, dois segundos, a nostalgia toma conta de mim, e estamos de volta ao meu quarto, misturando brilhos para o lábio à procura do tom perfeito de vermelho e tentando imaginar como tirar as sobrancelhas.

Seus olhos se movem e me fitam no reflexo no espelho, e o instante acaba.

— Ah, puxa — diz ela. — Não posso acreditar que você veio. Sozinha.

— Bem, é nosso último ano — digo. E pronto, não falo mais nada.

Ela me olha de um jeito estranho antes de sair do banheiro. Será que estava esperando outra briga? Ou uma das minhas respostas ácidas? Não se preocupe, Rennie, estou indo. Será um tapa na cara para acabar com todos os tapas na cara.

Estou me servindo de mais ponche, porque, que droga, está realmente bom, quando sinto uma mão em meu ombro. Viro pensando que é Mary. Mas não é. É Alex, vestindo um terno preto. Tenho de admitir que ele está ótimo nesse terno.

— Ei — digo.

Alex faz uma expressão de imitação de surpresa.

— Você se lembra de mim? Alex Lind? O cara com quem você não fala desde que as aulas começaram?

Não posso evitar sorrir.

— Tenho andado ocupada.

Ele dá risada.

— Estou um tanto surpreso por você estar aqui esta noite.

— Como eu poderia perder o homecoming? É a maior noite de nossa vida — respondo, em tom de piada. Mas meus sentimentos são reais. Porque senti falta de Alex. Mais do que quero admitir. E é realmente bom estar falando com ele novamente, como nos velhos tempos.

Alex sorri.

— Você está bonita, Kat.

— Sim, eu sei — digo, sorrindo para suavizar tudo. Estou usando um vestido preto justo de um tecido elástico, e botas pretas curtas, mais uma tonelada de maquiagem nos olhos. Quando meu pai me viu saindo ele ficou todo "Katherine, você vai num *bar de motoqueiros?*". Como se tivesse algum bar de motoqueiros de verdade na Ilha Jar.

— E quanto a mim? — pergunta Alex. Ele fala num tom de troça, mas posso ver que se importa de verdade com o que eu penso. — Como estou?

— Você está bem — digo-lhe. Quando o sorriso dele diminui, acrescento. — Você está ótimo.

Ele fica sério.

— Kat, queria que você soubesse que não tenho nada contra você.

O quê?

Ele esfrega a nuca.

— Eu me diverti muito com você neste verão e naquela noite no barco. Mas eu entendi. Você não estava mesmo na coisa. Provavelmente nós dois não devíamos mesmo acontecer, não é?

— Certo. — Estou tonta. O único motivo de eu não ter continuado com Alex foi porque pensei que ele estava com Nadia. Meu orgulho... eu não consegui engolir aquilo. Agora que sei que não era verdade, que ele e Nadia nunca tiveram *nada,* talvez algo pudesse acontecer entre nós.

Alex volta para a mesa dele, onde estão Lillia e o resto dos seus amigos. Sinto como um soco no estômago. Digo a mim mesma que é fome.

Mary se aproxima. Ela não olha diretamente para mim, olha apenas para a comida.

— Pegue um Dorito, Mary — digo em voz baixa. — Ou um cupcake.

Ela ergue subitamente a cabeça.

— Estou nervosa demais para comer. — Vejo-a olhar ao redor, procurando por Reeve. — Ele não devia começar a sentir logo?

Eu a examino, os pulsos finos, o modo como a clavícula fica saliente por baixo do vestido. Faz sentido agora, o fato de ela nunca comer. Isso também deve ser culpa de Reeve. Que se dane ele e a bolsa para jogar futebol.

— Não se preocupe — digo, cobrindo a boca com uma batatinha para ninguém nos ver conversando. — Deve acontecer a qualquer minuto agora. Tudo que temos de fazer é sentar e assistir.

Mary balança a cabeça, assentindo, e tenta sorrir.

— Vou sentir falta de nossos encontros secretos à meia-noite.

— Você está brincando? Eu fico caindo de sono na primeira aula. Não posso deixar isso baixar meu GPA[22] mais do que já baixou. — Não se quiser ir para Oberlin no próximo outono.

— Só espero que a gente consiga arrumar um jeito de continuarmos amigas. — Mary pisca rapidamente. — Vocês duas são tudo que tenho aqui.

Eu hesito. Não sei como responder, porque não sei direito o que pensar. Sim, Lillia e eu estamos bem agora, mas não vou subitamente passar a usar aquele colar da amizade amanhã cedo. Mas Mary está olhando para mim com uma expressão de súplica, e não quero desapontá-la, então digo:

— Mary, não se preocupe com isso esta noite. Vamos apenas aproveitar o show, está bem? É por isso que estávamos esperando. — Tenho de falar um pouco mais alto do que queria por causa das palmas. Fico na ponta dos pés e olho para a pista de dança. Um círculo está se formando. Sorrio para Mary. — Vem comigo.

Eu a levo até o centro do ginásio, bem ao lado da multidão que se reuniu ao redor de Reeve. Todos estão batendo palmas e abrindo espaço para ele. Ele está vermelho e com a camisa suada, desabotoou os botões do alto da camisa e afrouxou a gravata. Ele está dançando para valer, saltando de um lado para o outro como um idiota. Não sei se é por causa do ecstasy ou se é apenas Reeve sendo Reeve.

Mary e eu trocamos olhares.

Tenho certeza de que é efeito do E quando Reeve começa a dançar break. Ele não consegue dançar break de jeito nenhum. Começo a rir. Rio ainda mais quando vejo Rennie tentar aproximar-se dele, dançando toda sexy, mas não dá certo porque

[22] *Grade Point Average* (média de pontuação de notas) é a nota média obtida como resultado das horas-aula creditadas. Pode variar entre 0,0 e 4,0. Essa média é levada em conta pelas universidades dos Estados Unidos na aceitação ou não de um aluno. (N.T.)

os movimentos de Reeve são imprevisíveis e violentos. Num momento ele quase acerta um soco no rosto dela. Rennie o segura pela gravata e o puxa para perto, então ele tira a gravata e a prende ao redor da cabeça. Ela fica balançando enquanto ele sai dançando e pega a Sra. Dumfee, professora de química que deve ter perto de cem anos de idade. Ela tenta protestar, mas ele passa os braços dela por seu pescoço e pula para cima e para baixo. E ela consegue acompanhar, a velha é esperta. Deve ser provavelmente a maior ação que ela vê em, sei lá, 30 anos.

O DJ começa a jogar coisas para a multidão, echarpes de plumas e bolas de praia, e outras coisas idiotas assim. Reeve corre até a mesa do DJ, pega duas maracas e começa a galopar pela área de dança como um pônei premiado, sacudindo as maracas acima da cabeça. Ele as sacode com tanta força que, juro, fico esperando que os fios arrebentem e as contas se espalhem pelo chão todo.

Os amigos de Reeve, Alex, PJ e outros caras, dobram-se de rir. Mas, quando olho para Mary, ela está brava.

— Ele está bancando o bobo — diz ela, com ar triste.

Não sei por que, mas sinto que há algo aqui que não estou entendendo.

— Quando é que alguém vai perceber? Talvez seja melhor você ir falar com o *señor* Tremont.

Mas a música para e as luzes acendem. A treinadora Christy, num vestido vermelho, está no palco. É estranho vê-la vestida assim. Ela costuma usar shorts de ginástica e uma viseira na testa. Ela diz ao microfone:

— A corte de homecoming da Ilha Jar pode vir para o palco?

Eles sobem ao palco, atrás dela. Rennie se agarra a Reeve, como se não conseguisse se equilibrar nos saltos de 12 centímetros de stripper que ela está usando. E, por seu sorriso de "gato que comeu o canário", sei que acha que vai ser a rainha. Ela tira a gravata da cabeça de Reeve e a coloca de volta no pescoço dele, ajeitando-a. Claro que Rennie quer que eles dois sejam a imagem do casal perfeito quando vencerem.

Endireito as costas. Este é o *meu* momento. É melhor eu aproveitar.

A treinadora Christy apresenta todos que estão no palco, e então ela abre com um floreio o envelope creme que está em suas mãos.

— O rei do homecoming da Ilha Jar é... Reeve Tabatsky!

Todo mundo grita e aplaude e bate os pés no chão como se fosse uma grande surpresa. A treinadora Christy coloca a coroa na cabeça dele, e Reeve começa a dançar ao redor como se estivesse segurando dois bastões brilhantes numa rave. Ele abraça a treinadora Christy com força demais, erguendo-a do chão. Ela se solta dele, ajeita o vestido e parece um tanto incomodada. E rapidamente ela diz:

— E a rainha do homecoming é... Lillia Cho!

Ah, droga!

Não quero olhar para Mary, não depois de ter lhe garantido que Ashlin teria votos suficientes para vencer. Honestamente, eu nem pensei em contar os votos de Lillia. Vi que tinha vários para ela, mas ela disse que não ia fazer nenhuma diferença na eleição, então não pensei nisso. Droga.

Mas talvez fique tudo bem. Rennie perdeu, e Reeve está realmente fora do ar. Isso ainda pode dar certo.

No palco, Rennie está com a boca aberta. Ela não está nem brava, mas apenas atordoada. Como se pensasse ter havido algum engano. E a pobre Lillia está olhando para a multidão como um bebê de gamo completamente perdido enquanto a treinadora Christy coloca a tiara na cabeça dela.

Reeve corre até ela, agarra-a e praticamente a joga para cima.

— Merda — digo.

Capítulo 36

LILLIA

NÃO ERA PARA SER EU. NÃO É ASSIM QUE AS COISAS DEVERIAM TER SIDO.

Ashlin está batendo palmas. Ela não parece desapontada, provavelmente porque nunca pensou que poderia vencer. Rennie está parada ao lado dela, com uma expressão vazia no rosto, uma expressão triste e vazia. Nadia corre até a beirada do palco e pula para cima e para baixo gritando meu nome e me aplaudindo. Eu ergo a mão trêmula e toco a tiara em minha cabeça.

Vindo do nada Reeve me pega e ergue no ar e me faz girar como se estivéssemos patinando no gelo. Eu o afasto com um empurrão e grito para me pôr no chão, mas está todo mundo batendo palmas e gritando tão alto que acho que ele não me ouve.

O resto da corte de homecoming desce do palco, Rennie por último, e eu fico sozinha lá em cima com Reeve. Procuro Kat e Mary na multidão, tentando descobrir o que é que está acontecendo, mas aí alguém diminui a luz e a música começa. Uma música lenta.

Reeve me abraça com força. Tento afastá-lo, colocar algum espaço entre nós, mas ele apenas continua me abraçando com força. Olho para ele, suas pupilas estão completamente dilatadas e o suor é abundante. Ele diz:

— Eu votei em você.

Acho que escutei errado, porque ele não parece ser ele mesmo. A voz está distante e sonhadora.

— Por que você é tão má comigo, Cho?

— Eu não sou — digo.

Ele ergue a mão e toca meu cabelo, e eu afasto a cabeça.

— Seu cabelo é tão macio. Sei lá, muito, muito macio. Merda. Acho que não posso dizer isso.

Reeve gira e fico de novo de frente para a multidão, e vejo Alex nos olhando lá debaixo. Os músculos de seu maxilar estão contraídos, ele está com os olhos fixos em nós.

Reeve continua a me fazer girar, mais e mais depressa. Finalmente vejo Mary, parada no meio da multidão. Ela está mordendo o lábio, abraçando a si mesma.

— Meu coração está batendo tão depressa — diz Reeve, respirando apressado. Não há mais leveza na voz dele, em vez disso a voz soa mais baixa, difícil de articular, apesar de ele estar sorrindo.

O coração dele *está* batendo depressa, tão depressa que quase posso ouvi-lo. Dá para sentir através do paletó.

Eu recuo. Os olhos de Reeve estão aquosos e sem foco. Ele está me assustando. Não creio que saiba onde está, muito menos com quem está. Ele me abraça com tanta força que é difícil respirar. Sinto que estou ficando tonta. Eu vou desmaiar, e desta vez vai ser de verdade.

— Você está fora de foco — balbucia Reeve, tocando meu rosto como um cego.

— Reeve — digo. — Pare com isso.

— Antes... você perguntou sobre eu e Ren. Agora quero lhe perguntar uma coisa. E quanto a você e Lindy? O que vocês são?

— Somos amigos — digo, e me forço a engolir em seco. — É só isso.

Espero que ele diga algo cruel, do modo como costuma fazer quando o assunto sou eu e Alex. Mas desta vez é diferente. Desta vez ele ergue meu queixo, com os dedos trêmulos. E me beija. A boca dele está aberta e molhada e quente. Tento afastá-lo, mas a mão dele está na minha nuca e me puxa contra ele.

Tudo que posso pensar é em Rennie.

Ela vai me matar.

Com toda a força, empurro Reeve para longe de mim. Ele dá alguns passos para trás, totalmente desequilibrado, e fico com medo que caia do palco. O DJ baixa o volume da música e todo mundo no ginásio fica em silêncio. Reeve balança a cabeça, como se estivesse tentando clarear a mente. Ele começa a andar novamente na minha direção, mas seus braços e pernas não parecem estar obedecendo ao cérebro.

— Ah, não — geme. Ele se vira e olha para a multidão, como se estivesse procurando alguém, e chega na beirada do palco. — Desculpe — diz, protegendo os olhos da luz. — Desculpe, Alex.

Subitamente o corpo de Reeve fica tenso. A cor some de seu rosto. Ele sussurra alguma coisa.

— Big Easy.

Capítulo 37

MARY

BIG EASY. BIG EASY. BIG EASY. NÃO IMPORTA QUE EU ESTEJA LINDA esta noite. Você pode passar batom num porco, mas ele vai continuar sendo um porco. Eu sou Big Easy.

E vou ser para sempre.

Ainda estou em meu vestido de homecoming, posso vê-lo em mim, mas a sensação que ele me causa agora é diferente. Parece um jeans molhado e uma camiseta coberta de pedrisco. Esfrego as mãos uma na outra, esfrego os braços. Parecem normais, meus braços, mas a pele parece muito esticada, como se, por dentro, eu estivesse inchando até o peso que tinha aos 12 anos.

Subitamente tudo que é elétrico no ginásio corre para mim, como se um fósforo tivesse sido aceso junto de centenas de pequenos rios de gasolina. Se alguém me tocar, será queimado vivo. O zumbido da corrente elétrica fica mais alto que os sussurros.

As luzes no alto, as extensões indo até a mesa do DJ, a batida do coração das pessoas ao meu redor; vem tudo para mim. Eu sou magnética. Com mãos trêmulas, tiro o cabelo do rosto. Cada fio é como um cabo elétrico cheio de energia.

Ele está olhando para mim, chocado, sem acreditar. Desgostoso. Fecho meus olhos, mas está claro demais. Não há nada além do branco que queima dentro de mim. E ele não tem para onde ir a não ser para fora.

Quando abro os olhos, ocorre a mais terrível faísca.

Capítulo 38

LILLIA

CADA UMA DAS LUZES EM TODO O GINÁSIO ESTOURA AO MESMO TEMPO, e tudo fica escuro por um segundo. Então pequenos pedaços de vidro começam a cair do teto; faíscas amarelas voam como as de uma velinha de bolo de aniversário. Os alto-falantes do DJ soltam chiados e guinchos de microfonia. Todo mundo grita e corre para proteger-se. O lugar inteiro está entrando em curto-circuito.

— Lillia!

É Alex, abrindo caminho pela multidão até a beirada do palco. Ele está tentando vir até mim.

Estou quase na escada quando me lembro de Reeve. Ele está parado na beirada do palco, olhando para fora. O corpo todo dele está tremendo.

Corro até ele.

— Vamos! Temos de sair daqui! — Agarro-o pelas lapelas do terno e tento puxá-lo dali. Mas, apesar de eu estar bem diante dele, Reeve não me vê. Ele está em algum outro lugar. Posso ver, porque os olhos dele estão mortos. Sem foco. Ele afasta minhas mãos.

E então percebo. Ele está tendo uma convulsão.

Ele treme mais e mais, tão violentamente que não consigo segurá-lo.

— Pare! — grito, caindo de joelhos.

Reeve cai do palco e fica no chão como um monte de pano. O corpo está imóvel, a perna dobrada de uma forma estranha sob ele. E não está se movendo. Nem piscando.

Alguém grita, mais alto do que todas as outras vozes, que qualquer outro som. Tão alto que é a única coisa que ouço.

Capítulo 39

KAT

A PRINCÍPIO NÃO POSSO NEM DIZER O QUE É. O BARULHO. É TÃO ALTO e agudo que tenho de cobrir as orelhas. Mesmo assim continuo ouvindo. Tão alto que é como se estivesse preso de forma permanente dentro dos meus ouvidos.

Então percebo. É Mary. Nossa quieta e tímida Mary está gritando tão alto que dói de ouvir. Giro num círculo, tentando encontrá-la. Mas está escuro demais. E tem tanta gente.

É um pandemônio. Outras garotas estão gritando, e rapazes berrando, e professores implorando para ficarmos calmos e irmos para a saída mais próxima. Está difícil respirar, e vou tentando abrir caminho na multidão, usando os cotovelos para chegar até a porta, com cacos de vidro sendo esmagados sob minhas botas. O ginásio inteiro está com cheiro de queimado, e faíscas saem das lâmpadas quebradas.

Viro antes de chegar à porta e vejo Lillia, ajoelhada na beirada do palco, olhando para o chão.

— Ligue para a emergência! — grita ela, sem parar.

Por fim, chego do lado de fora e inspiro com força o ar puro. O toque é cortante e frio. O pessoal que saiu antes de mim está se abraçando e ligando pelo celular. O som de uma sirene de ambulância está chegando cada vez mais perto.

É quando sinto alguma coisa na testa, bem no local onde começa o cabelo. Toco o lugar com cuidado e sinto algo molhado e quente. Meus dedos estão vermelhos. Os cacos de vidro que voaram. Não é só Reeve. Outras pessoas podem estar feridas. Seriamente feridas.

Lillia parece estar bem, mas ainda não consegui ver Mary. Paro de respirar subitamente quando percebo que ela pode ainda estar presa dentro do ginásio.

Merda!

— Mary! — grito, e tento correr de volta para dentro. — Mary!

O *señor* Tremont estende o braço para tentar me deter. — Você não pode voltar lá para dentro, Kat.

— Mas minha amiga está lá!

Ele se vira para o outro lado para orientar o pessoal saindo, dizendo para eles continuarem andando e se afastarem do ginásio. Alguns metros adiante, a treinadora Christy está mancando, vendo quais alunos estão feridos.

A ambulância chega, com as luzes piscando e a sirene tocando. Os socorristas correm para dentro e alguns minutos depois saem com Reeve na maca.

Não vejo ele se mover.

Meninas estão chorando, meninas que mal o conhecem. Mas eu o conheço. Sei que é alérgico a frutos do mar, sei que tem uma cicatriz no ombro esquerdo de quando os irmãos o empurraram da casa na árvore. Sei que chorou durante uma semana quando o gato dele foi atropelado. Eu o conheço, e foi eu quem fez isso a ele. Fui eu quem começou tudo.

Rennie abre caminho passando por todo mundo. Ela está completamente histérica. Tenta subir na ambulância com ele, mas os socorristas não deixam. Ela cai no chão, chorando.

Reeve caiu com tanta força.

Não posso nem me permitir pensar nisso de novo. E não vou, porque não tem jeito. Nós só demos um pouco de E para ele, e não alguma coisa realmente pesada. É uma droga usada em festas, pelo amor de Deus. Então o que foi que aconteceu com ele? O que foi que aconteceu lá dentro?

Não tenho ideia de onde estão Lillia e Mary, nem se devo esperar por elas. Então a vejo. Lillia. Alex a está levando pela mão através da multidão. Eles estão apertando muito a mão um do outro.

Eu pisco.

Lillia solta a mão de Alex quando vê Rennie no chão. Ela corre e a ajuda a se levantar. Elas se abraçam, ambas chorando. Alex está falando ao celular com alguém.

A ambulância vai embora, as sirenes tocando de novo. Algumas pessoas estão paradas, reunidas em grupos, mas os jogadores de futebol já estão mobilizados. Eles pulam em seus carros e lideram uma caravana saindo do estacionamento.

Uma limusine se aproxima. Alex fala rapidamente com o motorista, que põe a cabeça para fora da janela. Alex aponta para as garotas, e eles correm. Ashlin também está lá agora, segurando a mão de Nadia. Elas entram na limusine, que vai embora.

Viro-me para o ginásio e vejo Mary. Ela está tropeçando ao sair lá de dentro, branca como uma folha de papel.

— Mary! — grito. Ela vira a cabeça, mas não me vê. — Mary!

Capítulo 40

MARY

Está tudo girando. É como se eu estivesse num carrossel que está indo rápido demais. Tem gente demais, tem barulho demais. É tudo estática. Estou andando, movendo-me sem propósito ou direção, apenas seguindo a multidão. Sinto como se estivesse em transe. Tenho de parar e me apoiar na parede.

E então Kat está na minha frente, e subitamente tudo para de se mover.

Olho para o fio de sangue que está escorrendo pela lateral do rosto dela. Eu a machuquei também.

— Você está bem, Mary?

Começo a tremer.

Só podemos dizer que as coisas são coincidência certo número de vezes, antes de ter de encarar a verdade. Não foi o vento naquele dia que fechou os armários. Não foi um passo em falso o que quase fez Rennie cair da pirâmide de animadoras. E esta noite, as luzes estourando, o surto de eletricidade.

Fui eu.

— Vamos sair daqui — diz Kat, num tom urgente.

Ela tenta pegar meu braço, mas eu recuo. Não. Não vou sair daqui. Não vou a lugar algum. Não antes de saber se Reeve está bem. Kat está perdendo a paciência comigo, posso ver. — Mary. Temos de ir. AGORA!

— Isso é minha culpa, Kat. Eu fiz isso.

— Pare com isso, Mary. Foi um acidente. Reeve deve ter tido uma reação alérgica a alguma coisa.

Comprimo os lábios e tento combater as lágrimas.

— Você está sangrando. Eu a machuquei.

Ela balança a cabeça, sem acreditar.

— Você está falando sério? Mary, isso foi um *curto-circuito*. Ou algo assim. Seja o que for. Por favor. Estou lhe implorando. Vamos apenas sair daqui, está bem? Precisamos nos acalmar e entrar em contato com a Lillia.

— Eu não queria machucá-lo. — Assim que as palavras saem, as lágrimas começam a cair. Choro como se estivesse com o coração partido, porque ele está. — Ele morreu? — pergunto, a voz falhando. — Morreu? — Quando Kat não responde, caio de joelhos, coloco as mãos na cabeça.

Reeve pode morrer esta noite.

Isso me faz querer morrer também.

Capítulo 41

LILLIA

A SALA DE ESPERA DO HOSPITAL ESTÁ LOTADA, ACHO QUE TODO MUNDO que estava no homecoming deve estar aqui. Os rapazes estão principalmente sentados no chão ou apoiados nas paredes, e as meninas, sentadas nas cadeiras e sofás. Estou numa poltrona, espremida entre Rennie e Alex. A cabeça de Rennie está no ombro de Ash, e ela finalmente parou de chorar. Eu quero chorar, mas não posso. Não tenho o direito. Sou responsável por isso. Fui eu quem colocou ecstasy na bebida dele.

Quando os pais de Reeve chegaram, não consegui nem olhar para eles. Ash sussurrou para mim:

— A Sra. Tabatsky está chorando.

Eu apenas mantive a cabeça baixa, olhando para o chão. A Sra. Tabatsky estava de chinelos. Rennie saltou e foi dar a ela alguns lenços de papel que tirou da bolsa, e elas se abraçaram por um longo tempo.

Do meu lado, Alex diz em voz baixa:

— Ele vai ficar bem.

Não é conforto algum. Porque Alex não sabe disso. Ninguém sabe. Disseram que o estado dele era estável, mas estavam fazendo exames no cérebro e coração para descobrir o que causou a convulsão. Eles ainda não sabem se a queda causou danos permanentes na espinha. Reeve. Reeve, o quarterback. Reeve, que adora dançar e brincar e nadar, sem poder mais andar? Não dá para imaginar.

Estou rezando com todas as forças para os médicos não fazerem um teste para drogas. Sei que esse era o objetivo da noite, fazer Reeve ser expulso do time. Mas e se fizerem uma investigação? E se descobrirem que de alguma forma Kat, Mary e eu estávamos por trás de tudo? O que vai nos acontecer então? Eu queria estar lá com eles.

Quando Alex levanta para ir pegar café para os Tabatsky, Rennie se endireita na poltrona.

— Lil, o que Reeve estava dizendo para você lá em cima? No palco?

— Quando? — pergunto, sem olhar para ela.

— Logo antes de beijá-la — diz ela, num tom neutro.

Sinto o rosto pegar fogo.

— Nada. Não sei. Ele não estava dizendo nada que fizesse sentido.

— De onde eu estava, pareceu-me que você retribuiu o beijo.

— Não, eu não fiz isso! Ele praticamente me atacou! — Baixei minha voz. — Ele não sabia o que estava fazendo, Ren. Ele deve ter bebido muito mais do que nós.

Rennie assente com um movimento de cabeça.

— Ele definitivamente não parecia estar normal. — Ela morde uma unha. — Mas você sabe o que eu sinto por ele.

— Eu juro, Rennie. Eu não retribuí o beijo. Não sei o que mais você quer que eu diga.

Rennie morde o lábio e balança a cabeça novamente, concordando. Algumas lágrimas descem-lhe pelo rosto. Ela as enxuga, então vai sentar perto dos irmãos de Reeve. Eu levanto e vou até a máquina de refrigerantes. Quero ligar o celular e ter certeza de que Kat e Mary estão bem, mas usar um celular num hospital é contra as regras. Acho que vou ter de esperar até poder sair daqui.

O que é que vamos fazer agora?

Capítulo 42

KAT

Estamos sentadas no cais perto do meu barco. Mary está quieta novamente. Ela não disse uma palavra desde que finalmente consegui fazê-la entrar no carro. Ela só chora a cada poucos minutos. Sento a seu lado e tiro cacos de vidro da sola da minha bota.

Perto da meia-noite recebo uma mensagem de texto. É de Lillia. *Onde vocês estão?*

Respondo dizendo que estamos no meu barco e que é para ela vir correndo. Não tenho ideia do que fazer com Mary. Ela está tendo um colapso nervoso? Devo levá-la ao hospital ou algo assim? Ela não está ferida, não tem nenhum corte, mas sua expressão está me assustando.

Vinte minutos depois, Lillia vem correndo pelo cais. Ela está ofegante. Eu levanto.

— Como ele está?

Lillia começa a chorar.

— Ele está na UTI. — Ela senta e abraça os joelhos. O cabelo está caindo do coque. — Como as coisas foram dar tão errado?

Olho para o outro lado.

— É minha culpa. Pensei que tínhamos votos suficientes.

Mary limpa o nariz no braço.

— Eu droguei Reeve. Eu tirei o homecoming de Rennie. Eu estou bem no centro de tudo — diz Lillia, num tom monótono.

— Não se preocupe — digo. — Ninguém suspeitará de você.

Lillia está olhando para a água.

— Eu nem sei o que pensar agora. Reeve pode ficar paralítico, sabia?

Mary emite um som baixinho.

— Ele não está paralítico — digo, com tanta segurança quanto consigo reunir. — Acredite em mim, Lil.

— Você não o viu. Você não sabe. — Ela balança a cabeça, com lágrimas escorrendo pelo rosto. — Eu preciso ir para casa. Tenho certeza de que minha mãe está me esperando.

Eu quase digo *Espere. Não devemos acertar nossas histórias antes?* Mas então finalmente Mary se manifesta.

— É tudo culpa minha — diz.

Lillia suspira e balança a cabeça novamente. Enxugando as lágrimas do rosto.

— Não foi culpa sua.

Mary está tremendo, enrolada como uma bola.

— Foi sim — diz ela, olhando para mim. — Eu sei que foi.

Pego o isqueiro na bolsa e o acendo. Inalando profundamente, digo:

— Fomos nós três. — E dou outra tragada. Deixo a fumaça encher meu corpo. — Só espero que não nos peguem por causa disso.

AGRADECIMENTOS

Para a turma de 2012 da Escola Secundária da Ilha Jar

Rainha da formatura: Zareen Jaffery
Rei da formatura: Justin Chanda
Presidente da turma: Carolyn Reidy
Vice-presidente da turma: Jon Anderson
Oradora: Anne Zafian
Presidente da sociedade honorífica nacional: Julia Maguire
Aquele que sabe falar melhor: Paul Crichton
Clube Glee: Lydia Finn, Nicole Russo
Capitã da Equipe de Promoção do Espírito da Escola: Chrissy Noh
Chefes do comitê da formatura: Elke Villa, Michelle Fadlalla
Editor do *Crônica da Escola Secundária da Ilha Jar*: Lucille Rettino
Fotógrafo da classe: Anna Wolf
Pessoa mais artística: Lucy Cummins
Chefe do Comitê do Livro do Ano: Venessa Carson
Editora da Revista de Literatura: Katrina Groover
Futuros líderes de negócios da América: Mary Marotta, Christina Pecorale, Jim Conlin, Mary Faria, Teresa Brumm
Pessoa com melhor espírito escolar: Emily van Beek
Presidente do Clube Modelo da ONU: Molly Jaffa
Capitã da Equipe de Debates: Jita Fumich
Pessoa mais provável de ser bem-sucedida: Riley Griffin